齊白石全集

第八卷：篆刻

齊白石

凡例

一　《齊白石全集》分雕刻、繪畫、篆刻、書法、詩文五部分，共十卷。

二　本卷為篆刻部分，收入篆刻作品一八四七方。作品按自用印(姓名、字號、齋室、閑文、吉語)，他人用印(姓名、字號)，他人用印(齋室、閑文、吉語)順序排列。

三　本卷内容分為三部分：(一)概述，(二)圖版，(三)索引。

目録

目録

齊白石的篆刻 ……………… 羅隨祖 2

第一部分：自用印

姓名·字號·齋室·閑文·吉語

齊白石 …… 2
齊白石 …… 2
齊白石 …… 2
齊白石 …… 2
齊白石 …… 2
齊白石 …… 2
齊白石 …… 2
臣璜私印 …… 3
臣璜之印 …… 3
齊頻生 …… 3
頻生 …… 3
頻生 …… 3
齊伯子 …… 3
恨翁 …… 3
芝 …… 3
小名阿芝 …… 4
阿芝 …… 4
阿芝 …… 4
齊大 …… 4
齊大 …… 4
齊人 …… 4
苹翁 …… 4
借山老人 …… 5
借山老人 …… 5
木居士記 …… 5
木居士記 …… 5
名余曰璜字余曰頻生 …… 5
齊白石·借山主人(雙面印) …… 5
齊璜觀·白石曾觀(雙面印) …… 5
齊璜敬寫·五世同堂·容顔減盡但餘愁·恐青山笑我今非昨(多面印) …… 6
齊璜·瀕生·相思·頻生齊氏·一别故人生百憂(多面印) …… 6
齊璜印·齊房之印·老苹辛苦·阿芝·齊人(多面印) …… 7
齊璜暮年又見·白石白事·平翁又白·齊木人·安得平安(多面印) …… 7
白石假看·萍翁假讀·知我只有梅花(多面印) …… 8
白石翁·老平(雙面印) …… 8
齊房 …… 8
齊房之印 …… 8
齊房 …… 9
齊大 …… 9
齊大 …… 9
阿芝 …… 9
阿芝 …… 9
阿芝 …… 9
齊璜 …… 10
齊璜之印 …… 10
白石翁 …… 10
白石翁 …… 10
白石翁 …… 10
白石翁 …… 11
白石翁 …… 11
白石翁 …… 11
白石翁 …… 11
白石翁 …… 11
白石草衣 …… 11

畫師白石 …… 12
借山翁 …… 12
借山翁 …… 12
借山翁 …… 12
借山老子 …… 12
苹翁 …… 12
平翁 …… 12
苹翁 …… 13
苹翁 …… 13
苹翁 …… 13
平 …… 13
平翁 …… 13
萍翁 …… 13
蘭亭 …… 14
白石 …… 14
白石 …… 14
白石 …… 14
白石 …… 14
白石之記 …… 14
白石 …… 15
白石 …… 15
白石印記 …… 15
白石私記 …… 15
白石山人 …… 15
白石老人 …… 16
木人 …… 16
木人 …… 16
木人 …… 16
木公 …… 16
木居士 …… 16
木居士 …… 16
木居士記 …… 17
木居士 …… 17
木居士 …… 17
老齊 …… 17
老齊郎 …… 17
老木 …… 17
老苹 …… 18
老苹 …… 18
老白 …… 18
老白 …… 18
老白 …… 18
齊白石觀 …… 18
白石畫蟲 …… 19
白石曾見 …… 19
白石賞心 …… 19
白石言事 …… 19
白石相贈 …… 19
白石造稿 …… 19
白石造化 …… 20
白石題跋 …… 20
白石題跋 …… 20
白石題跋 …… 20
白石題跋 …… 20
白石三復 …… 20
白石篆字 …… 21
白石許可 …… 21
白石見 …… 21
白石吟屋 …… 21
老苹曾見 …… 21
老萍手段 …… 22
齊璜老手 …… 22
老手齊白石 …… 22
齊白石管領金石紙本 …… 22
苹翁管領字畫 …… 22
苹翁嘆賞 …… 22
齊頻生曾藏三十五年 …… 23
頻生眼福 …… 23
齊氏家傳 …… 23
龍山社長 …… 23

老齊經眼 …… 23
齊白石藏 …… 23
三百石印齋 …… 24
借山館 …… 24
三百石印富翁 …… 24
樂石室 …… 24
借山館記 …… 24
白石草堂 …… 25
甑屋 …… 25
甑屋 …… 25
煮畫庖 …… 25
煮畫山庖 …… 25
八硯樓 …… 25
借山吟館主者 …… 26
悔烏堂 …… 26
悔烏堂 …… 26
寄苹堂 …… 26
悔烏堂 …… 26
寄萍堂 …… 26
寄萍堂 …… 27
寄苹吟屋 …… 27
無黨 …… 27
杏子塢老民 …… 27
半聾 …… 27
餓叟 …… 28
古潭州人 …… 28
古潭州人 …… 28
古潭州人 …… 28
古潭州漁人 …… 28
湘上老農 …… 28
再生 …… 29
湘潭人也 …… 29
中國長沙湘潭人也 …… 29
黄金虛牝 …… 29
心無妄思 …… 29
金石年 …… 30
我生無田食破硯 …… 30
身健窮愁不須耻 …… 30
五十以後始學填詞記 …… 30
一闋詞人 …… 30
吾友梅花 …… 30
枕善而居 …… 31
汗淋學士 …… 31
净樂無恙 …… 31
恨不十年讀書 …… 31
孤雲意無春 …… 31
流俗之所輕也 …… 32
流俗之所輕也 …… 32
滌研不嫌池水冷 …… 32
秋風紅豆 …… 32
白眼看它世上人 …… 32
戊午後以字行 …… 32
老夫也在皮毛類 …… 33
鬼神使之非人工 …… 33
故鄉無此好天恩 …… 33
太平無事不忘君恩 …… 33
吾幼挂書牛角 …… 33
客久思鄉 …… 34
客久子孫疏 …… 34
夢想芙蓉路八千 …… 34
三餘 …… 34
古之愚也 …… 34
大匠之門 …… 35
大匠之門 …… 35
魯班門下 …… 35
魯班門下 …… 35
樆欌痴 …… 35
大無畏 …… 35
平生辛苦 …… 36
一家多事 …… 36

一家多事 …… 36
江南布衣 …… 36
老年流涕哭樊山 …… 36
知己有恩 …… 36
憶君腸欲斷 …… 37
流涕哭樊嘉 …… 37
王樊先去天留齊大作晨星 …… 37
客中月光亦照家山 …… 37
往事思量著 …… 38
獨耻事干謁 …… 38
西山風日思君 …… 38
鈔相牛經 …… 38
前世打鐘僧 …… 38
一代精神屬花草 …… 39
最工者愁 …… 39
一襟幽事砌蛩能説 …… 39
窮後能詩 …… 39
一代精神屬花草 …… 39
草間偷活 …… 39
窮後工詩 …… 40
知白守黑 …… 40
何用余憂 …… 40
心耿耿 …… 40
隔花人遠天涯近 …… 40
心内成灰 …… 40
一年容易又秋風 …… 41
吾狐也 …… 41
馬上斜陽城下花 …… 41
乃翁過目 …… 41
父子合作 …… 41
老苹有子 …… 41
仁者壽 …… 42
佩鈴人 …… 42
老壽 …… 42
煮石 …… 42
重三 …… 42
苦白 …… 42
杜門 …… 43
何要浮名 …… 43
浮名過實 …… 43
無使名過實 …… 43
我自作我家畫 …… 43
藕花多處别開門 …… 43
思持年少漁竿 …… 44
容顔減盡但餘愁 …… 44
為客負梨花 …… 44
門人半知己 …… 44
門人知己即恩人 …… 44
有情者必工愁 …… 44
歸計何遲 …… 45
歸夢看池魚 …… 45
尋常百姓人家 …… 45
蓮花山下是吾家 …… 45
尋思百計不如閑 …… 45
苹翁得見有因緣 …… 45
盡携書畫到天涯 …… 46
老年肯如人意 …… 46
一切畫會無能加入 …… 46
星塘白屋不出公卿 …… 46
曾登李白讀書樓 …… 46
强作風雅客 …… 46
受恩慎勿忘 …… 47
寡交因是非 …… 47
也曾卧看牛山 …… 47
丁巳劫灰之餘 …… 47
世譽不足慕 …… 47
功名一破甑 …… 47
飽看西山 …… 48
故里山花此時開也 …… 48
牽牛不飲洗耳水 …… 48

繞屋衡峰七十二 …………………… 48
東山山下是吾家 …………………… 48
此心唯有斷雲知 …………………… 48
言語道斷心行處滅 …………………… 49
鷓鴣啼處百花飛 …………………… 49
嬴得鬢鬚殘雪 …………………… 49
山姬帶病相扶持 …………………… 49
難如人意一生慚 …………………… 49
吾道何之 …………………… 49
吾道西行 …………………… 50
吾少清平 …………………… 50
吾惜分陰 …………………… 50
吾儕閑草木 …………………… 50
吾家衡岳山下 …………………… 50
雕蟲小技家聲 …………………… 50
風前月下清吟 …………………… 51
要知天道酬勤 …………………… 51
行高于人衆必非之 …………………… 51
吾畫遍行天下偽造居多 …………………… 51
吾畫遍行天下蒙人偽造尤多 …………………… 51
痴思長繩繫日 …………………… 51
百怪來我腸 …………………… 52
百戰有完身 …………………… 52
白石老年賞鑒 …………………… 52
白石老年自娱 …………………… 52
知足勝不祥 …………………… 52
偷得浮生半日閑 …………………… 52
掃門者四時風 …………………… 53
一息尚存書要讀 …………………… 53
三千門客趙吴無 …………………… 53
患難見交情 …………………… 53
君子之量容人 …………………… 53
草木未必無情 …………………… 53
吾草木衆人也 …………………… 54
天涯亭過客 …………………… 54
我畫意造本無法 …………………… 54
我自疏狂异趣 …………………… 54
詩字畫刻四無成 …………………… 54
寧肯人負我 …………………… 54
安得子孫寶之 …………………… 55
我負人人當負我 …………………… 55
心與身為仇 …………………… 55
私淑何人不昧恩 …………………… 55
散髮乘春風 …………………… 55
蛩鳴無不平 …………………… 56
老眼平生空四海 …………………… 56
苦吟一似寒蛩號 …………………… 56
兒女冤家 …………………… 56
梨花小院 …………………… 56
梨花小院思君 …………………… 56
接木移花手段 …………………… 57
百樹梨花主人 …………………… 57
老為兒曹作馬牛 …………………… 57
嘆浮名堪一笑 …………………… 57
望白雲家山難捨 …………………… 57
有衣飯之苦人 …………………… 57
兒輩不賤家鷄 …………………… 58
以農器譜傳吾子孫 …………………… 58
慚愧世人知 …………………… 58
慚愧世人知 …………………… 58
西山如笑笑我邪 …………………… 58
西山雖在亦堪憐 …………………… 58
曾經灞橋風雪 …………………… 59
買系原綉綉系人 …………………… 59
嘆清平在中年過了 …………………… 59
還家休聽鷓鴣啼 …………………… 59
豈辜負西山杜宇 …………………… 59
兩耳唯于世事聾 …………………… 59
四不怕者 …………………… 60
倦也欲眠君且去 …………………… 60

中華良民也 …… 60
花未全開月未圓 …… 60
木以不材保其天年 …… 60
老豈作鑼下獮猴 …… 61
老豈作鑼下獮猴 …… 61
老去無因啞且聾 …… 61
閑散誤生平 …… 61
無道人之短 …… 61
吾奴視一人 …… 61
無君子不養小人 …… 62
奪得天工 …… 62
餘年離亂 …… 62
思安卜鬼神 …… 62
一丘一壑自謂過之 …… 62
八十歲應門者 …… 63
有眼應識真偽 …… 63
七三翁 …… 63
年高身健不肯做神僊 …… 63
七十以後 …… 63
行年七十三 …… 64
七十三歲後鐫 …… 64
七四翁 …… 64
七五衰翁 …… 64
七八衰翁 …… 64
七九衰翁 …… 64
吾年八十矣 …… 65
吾年八十二矣 …… 65
行年八十三矣 …… 65
年八十五矣 …… 65
年八十六矣 …… 65
吾年八十七矣 …… 65
吾年八十八 …… 66
年八十九 …… 66
年九十 …… 66
九十二翁 …… 66
九九翁 …… 66
九九翁 …… 66
乙丑始畫 …… 67
癸酉 …… 67
甲戌 …… 67
乙亥 …… 67
丙子 …… 67
丁丑 …… 67
辛巳 …… 68
癸未 …… 68
辛卯甲午 …… 68
白石之妻 …… 68
七三老婦八千里 …… 68
齊白石婦 …… 69
齊寶珠 …… 69
寶 …… 69
寶君 …… 69
桂子 …… 70
齊胡桂子 …… 70
光明 …… 70
光明堂 …… 70
齊菊如 …… 70
白石長女 …… 71
齊良琨 …… 71
齊良琨印 …… 71
齊良琨印 …… 71
良琨 …… 71
良琨 …… 71
子如 …… 71
子如 …… 72
子如賞鑒金石文字記 …… 72
子如詩書畫記 …… 72
齊三 …… 72
齊良遲 …… 72
齊良遲印 …… 72

良遲 …… 73
子長 …… 73
子長 …… 73
齊良憐 …… 73
白石後人 …… 73
齊四 …… 74
白石四子 …… 74
齊良歡 …… 74
齊良止印 …… 74
齊良止印 …… 74
良年 …… 75
翁子 …… 75
翁子 …… 75
良平 …… 75
非兒 …… 75
移生 …… 75
白石孫子·齊秉靈印(雙面印) …… 76
齊秉率 …… 76
佛來 …… 76
如來弟子 …… 76
白石第十二孫 …… 76
白石弟子 …… 76
白石弟子 …… 77
借山門客 …… 77
白石之徒 …… 77
借山門人 …… 77
白石門人 …… 77

第二部分:他人用印

姓名·字號

任 …… 79
語 …… 79
歐 …… 79
綱 …… 79
富 …… 79
水 …… 79
本 …… 80
謙 …… 80
勇 …… 80
贈 …… 80
喜 …… 80
緘 …… 80
絲 …… 81
適 …… 81
適 …… 81
禪 …… 81
禪 …… 81
雅 …… 82
雅 …… 82
沈二 …… 82
婁氏 …… 82
瀏陽鄒氏 …… 82
白珩 …… 83
白蘋 …… 83
白峰 …… 83
白西大 …… 83
謝大 …… 83
謝大 …… 83
謝大近況 …… 84
小謝 …… 84
臣淵私印 …… 84
臣淵印信 …… 84
謝淵印記 …… 84
謝淵印信 …… 84
虎巽一字默庵 …… 85
謝道弘印 …… 85
謝承炳印 …… 85
南海譚氏 …… 85
譚濟夫 …… 85

譚延闓印 …… 85
茶陵譚澤闓印 …… 86
譚澤闓印 …… 86
譚延闓印 …… 86
延闓 …… 86
無畏 …… 86
夏静淵 …… 87
夏首勳印 …… 87
夏時鼎印 …… 87
夏培德印 …… 87
夏壽田印 …… 87
夏壽田印 …… 87
夏壽田印 …… 88
夏壽田印 …… 88
夏壽田印 …… 88
夏壽田印 …… 88
夏壽田印 …… 89
天畸 …… 89
曾總均印 …… 89
志熙 …… 89
黎 …… 90
曾擴情印 …… 90
曾擴情印 …… 90
江南黎五 …… 90
黎子鶴 …… 90
子鶴 …… 90
郭荃 …… 91
郭芝 …… 91
郭楞仙 …… 91
郭秀儀 …… 91
郭向陽印 …… 91
郭有守印 …… 91
郭延之印 …… 92
郭希度印 …… 92
郭宗熙印 …… 92
齊國璜印 …… 92
齊燮元印 …… 92
楊 …… 93
楊度 …… 93
楊晳子 …… 93
晳子 …… 93
釋虎 …… 93
虎生行一 …… 93
臣鈞又名曰政 …… 94
白心 …… 94
楊莊 …… 94
楊仲子 …… 94
楊伯廬 …… 94
楊劍秋 …… 94
楊叔子 …… 95
叔子 …… 95
楊昭雋印 …… 95
楊昭雋印 …… 95
楊鈞小印 …… 96
楊芰青父 …… 96
淑度 …… 96
叔度讀書 …… 96
叔度長年 …… 96
邵 …… 97
邵一萍 …… 97
邵小逸 …… 97
小逸 …… 97
浙東邵氏 …… 97
邵元冲 …… 97
邵元冲 …… 98
元冲 …… 98
邵元冲字翼如 …… 98
翼如 …… 98
邵墨田 …… 98
胡鋭 …… 98

胡佩衡 …… 99
胡佩衡印 …… 99
佩衡 …… 99
佩衡之印 …… 99
胡士開印 …… 99
胡漢民印 …… 99
胡駿聲印 …… 100
胡若愚印 …… 100
胡若愚印 …… 100
胡振名印 …… 100
胡庭芳印 …… 100
陳源 …… 100
陳死 …… 101
死 …… 101
陳怡 …… 101
陳微之印 …… 101
陳衡寧印 …… 101
陳希曾印 …… 101
師曾小詩 …… 102
陳果夫 …… 102
陳裕新 …… 102
陳允文 …… 102
陳泡翁 …… 102
泡翁 …… 102
陽溪陳人 …… 103
陳氏女子 …… 103
陳之初印 …… 103
陳惟庚印 …… 103
陳訪先印 …… 103
陳耀倫印 …… 103
陳際昌印 …… 104
陳樹森印 …… 104
陳樹森印 …… 104
陳樹森印 …… 104
陳家鼒印 …… 104
張 …… 104
大千 …… 105
張 …… 105
張諤 …… 105
張群 …… 105
荆門張漢 …… 105
張愷驥 …… 105
張佩紳 …… 106
張庭鈞 …… 106
張道藩 …… 106
張半陶 …… 106
張默君 …… 106
默君 …… 106
張佐民印 …… 107
張伯駒印 …… 107
張伯烈印 …… 107
張客公印 …… 107
張仁蠡印 …… 107
範卿 …… 108
張一俊印 …… 108
張子祥印 …… 108
張其煦印 …… 108
張傳烜印 …… 108
張明哲印 …… 109
張學良印 …… 109
張樹勛印 …… 109
王之 …… 109
王惕 …… 109
王淮 …… 109
惕生 …… 110
惕生 …… 110
王蓉 …… 110
王大章 …… 110
王白與 …… 110
王士燮 …… 110

王光輝 …… 111
王兆均 …… 111
王守信 …… 111
王道遠 …… 111
王朝聞 …… 111
王若波 …… 111
王妙如 …… 112
朱 …… 112
朱 …… 112
朱 …… 112
王恩士 …… 112
王國楨 …… 113
王嶦農 …… 113
王氏汲父 …… 113
遂安王邕 …… 113
王大寅印 …… 113
遂安王邕 …… 113
王文彥印 …… 114
王寧度印 …… 114
王永樹印 …… 114
王執誠印 …… 114
王伯群印 …… 114
王伯群印 …… 114
王伯湖印 …… 115
王柱宇印 …… 115
王秉信印 …… 115
王樹常印 …… 115
王澤寬印 …… 115
王慈博印 …… 115
王毓芝印 …… 116
王毓芝印 …… 116
王纘緒 …… 116
治園延年 …… 116
津沽王氏敭貴之章 …… 116
王纘緒印 …… 116
李 …… 117
李杭 …… 117
李静 …… 117
李介如 …… 117
李介如 …… 117
李宗理 …… 117
李智超 …… 118
白洋舟子 …… 118
李逵群 …… 118
李德群 …… 118
李白珩 …… 118
李英之印 …… 118
英 …… 119
李氏苦禪 …… 119
苦禪 …… 119
苦禪 …… 119
李氏經輿 …… 119
經輿 …… 119
李宗弼印 …… 120
經宇 …… 120
李書華印 …… 120
李文斂印 …… 120
李仲公印 …… 120
李如常印 …… 121
李宏錕印 …… 121
李棟臣印 …… 121
李曉塵印 …… 121
李容汶印 …… 121
李乾三印 …… 121
朱 …… 122
朱 …… 122
朱·朱(雙面印) …… 122
朱·子訓(雙面印) …… 122
朱 …… 122
朱屺瞻 …… 123

朱屺瞻 …………………………… 123
朱增鈞 …………………………… 123
婁江朱氏 …………………………… 123
朱增鈞印 …………………………… 124
增鈞 …………………………… 124
屺瞻 …………………………… 124
屺瞻 …………………………… 124
屺瞻 …………………………… 125
屺瞻 …………………………… 125
屺瞻 …………………………… 125
屺瞻 …………………………… 125
屺瞻 …………………………… 126
屺瞻 …………………………… 126
屺瞻 …………………………… 126
朱家璠 …………………………… 126
朱瓊英印 …………………………… 127
朱延昱印 …………………………… 127
朱驕君允 …………………………… 127
項城 …………………………… 127
靖威將軍 …………………………… 127
曹雲祥 …………………………… 127
曹錕之印 …………………………… 128
曹琨之印 …………………………… 128
虎威上將軍 …………………………… 128
曹錕之印 …………………………… 128
直魯豫巡閱使 …………………………… 128
直魯豫巡閱使 …………………………… 129
直魯豫巡閱使 …………………………… 129
葉錕 …………………………… 129
黄岡維虔 …………………………… 129
維虔之印 …………………………… 130
致坡 …………………………… 130
致坡 …………………………… 130
維虔之印 …………………………… 130
蔣中正印 …………………………… 130
介石 …………………………… 130
丁超 …………………………… 131
丁聰 …………………………… 131
丁恪之印 …………………………… 131
蔣作賓印 …………………………… 131
羅玉庭 …………………………… 131
羅丙山印 …………………………… 132
羅祥止 …………………………… 132
羅家倫 …………………………… 132
羅葆琛印 …………………………… 132
汪申 …………………………… 132
汪申之印 …………………………… 132
汪吉麟印 …………………………… 133
汪詒書印 …………………………… 133
汪瑞闓印 …………………………… 133
汪吉麟印 …………………………… 133
汪止麟印 …………………………… 133
汪申伯印 …………………………… 133
梅郎 …………………………… 134
畹華 …………………………… 134
浣華 …………………………… 134
周懋 …………………………… 134
周作人印 …………………………… 134
周作人 …………………………… 134
周君素印 …………………………… 135
周君素 …………………………… 135
作人 …………………………… 135
周傳經印 …………………………… 135
周大文印 …………………………… 135
周震鱗印 …………………………… 135
周磐之印 …………………………… 136
林風眠 …………………………… 136
林風眠印 …………………………… 136
林風眠印 …………………………… 136
風眠 …………………………… 136

風眠 …………………………………… 136
林衛音 …………………………………… 137
徐圖 …………………………………… 137
徐祖正印 …………………………………… 137
徐再思印 …………………………………… 137
徐保慶印 …………………………………… 137
徐悲鴻 …………………………………… 137
徐堪之印 …………………………………… 138
徐翿一字而坩 …………………………………… 138
萬氏玉田 …………………………………… 138
萬國鈞印 …………………………………… 138
甄甫 …………………………………… 138
魯蕩平印 …………………………………… 139
魯蕩平印 …………………………………… 139
吴子亭 …………………………………… 139
涇川吴氏 …………………………………… 139
吴先亭 …………………………………… 139
吴闓生印 …………………………………… 140
北江 …………………………………… 140
吴晉夔字一庵 …………………………………… 140
劉宏 …………………………………… 140
劉復 …………………………………… 140
劉千里 …………………………………… 140
劉志平 …………………………………… 141
劉文輝印 …………………………………… 141
劉伯英印 …………………………………… 141
劉純中印 …………………………………… 141
劉直清印 …………………………………… 141
劉彦之印 …………………………………… 141
劉白私印 …………………………………… 142
東官劉氏 …………………………………… 142
筑陽劉果 …………………………………… 142
侯官黄濬 …………………………………… 142
君璧 …………………………………… 142
黄澍 …………………………………… 142
黄濟國 …………………………………… 143
黄天章印 …………………………………… 143
黄曾樾印 …………………………………… 143
孫東明 …………………………………… 143
佛弟子東明 …………………………………… 143
孫其銘印 …………………………………… 143
杜忱 …………………………………… 144
杜忱 …………………………………… 144
杜之紳 …………………………………… 144
杜老德 …………………………………… 144
高 …………………………………… 144
高幹 …………………………………… 144
高汝明 …………………………………… 145
魏 …………………………………… 145
魏氏 …………………………………… 145
魏五陰 …………………………………… 145
魏五陰 …………………………………… 145
魏軍藩印 …………………………………… 145
于 …………………………………… 146
于 …………………………………… 146
又任 …………………………………… 146
于本同 …………………………………… 146
方嚴 …………………………………… 146
方洺印信 …………………………………… 147
趙亮直印 …………………………………… 147
趙鍾玉印 …………………………………… 147
趙鍾玉印 …………………………………… 147
趙啟騄印 …………………………………… 147
袁家普印 …………………………………… 147
余 …………………………………… 148
余仁之印 …………………………………… 148
郫縣余氏 …………………………………… 148
興化余氏 …………………………………… 148
余中英印 …………………………………… 148
余中英印 …………………………………… 148

興公 …… 149
興周之章 …… 149
與公 …… 149
新化歐陽銘字慧虛印 …… 149
與辛 …… 150
歐陽銘印 …… 150
歐陽銘印 …… 150
銘 …… 150
銘 …… 151
銘印 …… 151
銘印 …… 151
歐陽漸印 …… 151
歐陽慧虛 …… 152
慧虛 …… 152
歐陽植東 …… 152
崔伯鴻印 …… 152
植東 …… 152
許壽康印 …… 153
崔震華 …… 153
崔叔青印 …… 153
許鍾潞印 …… 153
老彭 …… 153
彭榘之印 …… 154
仲常 …… 154
彭祖逌印 …… 154
彭壽莘印 …… 154
鍾幹 …… 154
鍾山 …… 155
鍾子梅印 …… 155
蕭同兹印 …… 155
蕭淑芳 …… 155
蕭氏淑芳 …… 155
蕭耀南印 …… 156
錢玄同 …… 156
錢大鈞印 …… 156
錢春祺印 …… 156
鄧雲 …… 156
鄧逵道 …… 156
鄧丙元 …… 157
鄧燕林 …… 157
馬學著 …… 157
馬福祥印 …… 157
藍璧光 …… 157
藍堯衢印 …… 157
葛覃 …… 158
葛熙之印 …… 158
翰屏 …… 158
香翰屏印 …… 158
桐城何氏 …… 158
何海波 …… 159
何鍵之印 …… 159
何佩容印 …… 159
何紹韓印 …… 159
熊克武印 …… 159
劭平 …… 159
劭平 …… 160
蔡彬 …… 160
蔡禮之印 …… 160
但懋辛印 …… 160
常宗文印 …… 160
懋辛 …… 161
常焜彝印 …… 161
湯澤 …… 161
湯爾和印 …… 161
景春 …… 161
景紀英印 …… 161
潘氏 …… 162
潘承禄印 …… 162
潘恩元印 …… 162
文素松印 …… 162

丘振豫印 …… 162
查忠輔印 …… 162
谷正倫印 …… 163
唐獻之印 …… 163
鮑伯香印 …… 163
柳德園印 …… 163
顧詒燕印 …… 163
饒應銘印 …… 163
姜殊文印 …… 164
梁啟超印 …… 164
鎮海賀氏 …… 164
賀福泉章 …… 164
符定一印 …… 164
陸鉅恩印 …… 164
喬映璜印 …… 165
雷恩廷印 …… 165
龍文治印 …… 165
閻麗天印 …… 165
僧紹禎印 …… 165
田氏伯施 …… 165
熊佛西印 …… 166
郁風 …… 166
龐梓 …… 166
金三 …… 166
金城之印 …… 166
蘇峰 …… 166
宗蕃 …… 167
萬里 …… 167
况裴 …… 167
荆華私印 …… 167
廖衡 …… 167
鄭瑛 …… 167
善化盛七 …… 168
昭化賈氏 …… 168
賈鑄 …… 168
宋振椝 …… 168
紀鉅良 …… 168
姚應釗印 …… 168
牛嶺先 …… 169
盧 …… 169
盧 …… 169
盧光照 …… 169
闞浙生 …… 169
鮮于英 …… 169
韓則信 …… 170
薩麗荻 …… 170
季端父 …… 170
姜乃臨 …… 170
瑞光之記 …… 170
堯仁之章 …… 170
傳霖之印 …… 171
得霖之印 …… 171
凌百之印 …… 171
厚同父 …… 171
建昌馬 …… 171
帥名初 …… 171
頡荀父 …… 172
楚天一 …… 172
閔羅張 …… 172
羡鍾州 …… 172
阿羅巴 …… 172
克羅多 …… 172
緝熙 …… 173
師愚 …… 173
佩芬 …… 173
沙漚 …… 173
泱漠 …… 173
輯五 …… 174
道昭印記 …… 174
載洵白箋 …… 174

庭五	174
志青	174
鐵生	174
成武	175
紫虹	175
繁·子(雙面印)	175
繁子	175
性仁	175
竺生	175
公魚	176
公甫	176
石農	176
石帚	176
石年	176
玉成	176
敬禹	177
福航	177
卓爾	177
斌甫	177
鎮中	177
斌甫	177
象賢	178
智輔	178
如流	178
則敬	178
餘珊	178
射山	178
琴孫	179
渾一	179
陽光	179
墨三	179
墨守	179
直支	179
誠之	180
季高	180
倉元	180
貞甫	180
永啟	180
汛親	180
客蓀	181
必潴	181
朝文	181
文夫	181
文夫	181
文瑗	181
文秦	182
鴻雋	182
輝域	182
瘦石	182
石冥	182
朝倉	182
之初	183
空山	183
空僧	183
商石	183
和父	183
弼丞	183
浩逸	184
壺公	184
桂父	184
信恒	184
蒙客	184
狗子	184
洧君	185
芷清	185
藹士	185
業成	185
竹銘	185
竹橋	185
企南	186

青萍 …… 186
農畝 …… 186
申伯 …… 186
春塘 …… 186
子和 …… 186
子楠 …… 187
子樵 …… 187
仲鳴 …… 187
仲華 …… 187
仲寳 …… 187
仲方 …… 187
仲文 …… 188
仲光 …… 188
仲儒 …… 188
雨翁 …… 188
覺生 …… 188
丹山 …… 188
石安 …… 189
撫萬 …… 189
鐵僧 …… 189
蓮生 …… 189
居正 …… 189
鏸依 …… 190
思安 …… 190
思煒 …… 190
可亭 …… 190
可亭 …… 190
玄圃 …… 190
梓嘉 …… 191
梓嘉 …… 191
稚予 …… 191
非翟 …… 191
亞傑 …… 191
圓覺 …… 192
鈐山 …… 192
朗夫 …… 192
圓净 …… 192
醉白 …… 192
圓净 …… 193
舟虛 …… 193
貴嚴 …… 193
自乾 …… 193
若衡 …… 193
若衡 …… 193
大羽 …… 194
笠樵 …… 194
韵眉 …… 194
花民 …… 194
彪岑 …… 194
嵐雨 …… 194
雨巖 …… 195
彦夫 …… 195
松年 …… 195
執誠 …… 195
夢琴 …… 195
宇澄 …… 195
季尚 …… 196
少武 …… 196
劍鳴 …… 196
冥祥 …… 196
芋樵 …… 196
廉仿 …… 196
孤杉 …… 197
海陵 …… 197
凌雲 …… 197
秋士 …… 197
荷麻 …… 197
豪翁 …… 197
繼郎 …… 198
瞻蓀 …… 198

曼雲 ······ 198
獻之 ······ 198
玲明 ······ 198
銘勳 ······ 198
君襄 ······ 199
亭瑞 ······ 199
孟真 ······ 199
筱忱 ······ 199
虔忱 ······ 199
實篤 ······ 199
增祥 ······ 200
謙中 ······ 200
壽璽 ······ 200
雲亭 ······ 200
雲叟 ······ 200
壽璽 ······ 200
雲皋 ······ 201
實坪 ······ 201
雲仙 ······ 201
顏山 ······ 201
蒼風 ······ 201
緒詮 ······ 201
狙公 ······ 202
華堂 ······ 202
飯老 ······ 202
花章 ······ 202
佑宸 ······ 202
鳳亭 ······ 202
達雲 ······ 203
澄淵 ······ 203
嘉明 ······ 203
勇五 ······ 203
沛生 ······ 203
榮唐 ······ 203
慕陶 ······ 204
慕尹 ······ 204
豐山 ······ 204
隱青 ······ 204
仲欽 ······ 204
丹宇 ······ 204
鴻城印 ······ 205
淑賢工細 ······ 205
字曰德鄰 ······ 205
其鞏之印 ······ 205
寶成之印 ······ 205
南圃之印 ······ 205
澤寬之璽 ······ 206
志潭蠡父之章 ······ 206
熙鈺私印 ······ 206
澄波長壽 ······ 206
尊石長壽 ······ 206
濟衆長壽 ······ 206
豳齊長壽 ······ 207
語舲長壽 ······ 207
墨緣 ······ 207
墨緣長壽 ······ 207
錦颿長壽 ······ 207
土筆居 ······ 208
籟園 ······ 208
次驊長壽 ······ 208
正修·籟圓(雙面印) ······ 208
福岡 ······ 208
韞山長壽 ······ 208
靜川 ······ 209
養原 ······ 209
新井 ······ 209
伊東 ······ 209
百崎 ······ 209
百崎辰雄 ······ 209
龍梅原 ······ 210

武内氏 …… 210
田孝 …… 210
田八 …… 210
小田印 …… 210
原八郎 …… 210
佳兵室 …… 211
近藤氏印 …… 211
金井清 …… 211
藤原正文 …… 211
植松涙仙 …… 211
折田翠村 …… 211
尾形清印 …… 212
安彦英三 …… 212
藤氏畤坪 …… 212
正本直彦 …… 212
易端漱平 …… 212
廣瀨直幹 …… 212
内堀維文 …… 213
大冶祥金 …… 213
小川平吉 …… 213
津田秀榮 …… 213
野口勇印 …… 213
篪野堅印 …… 214
山惇吉印 …… 214
柴山兼四郎 …… 214
小室翠雲 …… 214
英雄之印 …… 214
翠雲 …… 214
柳川 …… 215
翠雲 …… 215
平助 …… 215
小室貞印 …… 215
柴山兼四郎 …… 216
和田正修之章 …… 216
西氏 …… 216
竹内西鳳 …… 216
西鳳 …… 216
西鳳 …… 217
西鳳 …… 217
西鳳 …… 217
西鳳 …… 217
西鳳 …… 217
西鳳 …… 217
西鳳 …… 218
菊庭書院 …… 218
栖鳳 …… 218
西鳳不死 …… 218
蘭風 …… 218
正法眼藏 …… 218
竹内文庫 …… 219
竹内文庫 …… 219
樂石室 …… 219
西鳳 …… 219
考槃在澗 …… 219
今來古往 …… 219

第三部分:他人用印

齋室·閑文·吉語

浴蘭湯兮沐芳華 …… 221
虎 …… 221
虎公 …… 221
虎公 …… 221
虎生 …… 221
虎生父 …… 221
閑止 …… 221
閑止 …… 222
閑止翁 …… 222
閑止翁 …… 222
阿怕 …… 222

白心翁 …… 222
白心翁 …… 222
阿怕 …… 223
阿怕 …… 223
叠山後人 …… 223
舊家烏衣 …… 223
古之百里魚 …… 223
頓叟 …… 223
一字頓叟 …… 224
一字黔鐵 …… 224
祖庵 …… 224
知默居士 …… 224
山台居士 …… 224
印奴 …… 225
石癖 …… 225
潜庵 …… 225
潜庵 …… 225
冷庵 …… 225
冷庵 …… 225
冰庵 …… 226
默庵 …… 226
惠庵 …… 226
蘆隱 …… 226
老雪 …… 226
一粟翁 …… 226
一粟翁 …… 227
雪庵 …… 227
雪頭陀 …… 227
桂湖長 …… 227
太倉人 …… 227
道昭之印·衡山人(雙面印) …… 228
衡山人 …… 228
衡山 …… 228
衡山 …… 228
德居士 …… 228
豫章五子 …… 228
德居士 …… 229
古龍標人 …… 229
榜眼 …… 229
榜眼 …… 229
戎馬書生 …… 230
思簡樓主人 …… 230
研雲山房主 …… 230
翠明莊主 …… 230
止莊主人 …… 230
二莊主人 …… 231
平園主人 …… 231
毅庵主人 …… 231
杏語館主 …… 231
香雪莊主 …… 231
青雲閣主 …… 231
鶴屋野人 …… 232
白林孤客 …… 232
桃蔭居主 …… 232
慈園居士 …… 232
海西居士 …… 232
隱峰居士 …… 232
鐵馬道人 …… 233
江陰士人 …… 233
隴右女史 …… 233
鶴鳴山樵 …… 233
冬嶺樵人 …… 233
少卿内史 …… 233
樟林教頭 …… 234
古寺山僧 …… 234
潭州漁隱 …… 234
長白山農 …… 234
天柱山民 …… 234
雀廬主人 …… 234
婉雲山人 …… 235

天外村人 …… 235
黄泥漁人 …… 235
微山行人 …… 235
天恩老人 …… 235
餘生老人 …… 235
樊山後人 …… 236
隨時快樂翁 …… 236
畢甖羅館主人 …… 236
蒙軒 …… 236
藝廬 …… 236
簡廬 …… 236
梓園 …… 237
曲園 …… 237
沙園 …… 237
友石 …… 237
躬石 …… 237
硯田農 …… 237
硯翁 …… 238
咸陽客 …… 238
硯海居士 …… 238
歸田翁 …… 238
劍門過客 …… 239
石癖·五陵少年(雙面印) …… 239
海上石癖長安人·咸陽客(雙面印) …… 239
倚石者 …… 239
六十白石印富翁 …… 240
古我氏 …… 240
南陽布衣 …… 240
三讓堂 …… 240
北城沙門 …… 240
麓雲樵子 …… 241
五福堂 …… 241
三樂堂 …… 241
五石堂·朽木不折(雙面印) …… 241
鋤經堂 …… 241
三知堂 …… 242
鑿冰堂 …… 242
保稚堂 …… 242
保稚堂 …… 242
北堂 …… 242
鑿冰堂 …… 242
騈足堂 …… 243
銘德堂 …… 243
東山草堂 …… 243
孝友堂 …… 243
東山草堂 …… 243
東山草堂 …… 244
慈衛室印 …… 244
梅花草堂 …… 244
梅花草堂 …… 244
梅花草堂 …… 244
梅花草堂 …… 245
師愚室印 …… 245
斗漱室 …… 245
梅花草堂 …… 245
無聲詩室 …… 245
蘭雲齋 …… 246
定遠齋 …… 246
澹靜齋 …… 246
夢詩廬 …… 246
淺歡齋 …… 246
溫夢齋 …… 246
歸適齋 …… 247
習苦齋 …… 247
養素齋 …… 247
晉齋 …… 247
夷齋 …… 247
半瓦齋 …… 247
三硯齋 …… 248
神覺硯齋 …… 248

黄龍硯齋 …………………………… 248
陽嘉硯齋 …………………………… 248
百一碩齋 …………………………… 248
味無味齋 …………………………… 248
古風今雨之齋 ……………………… 249
玉芝館 ……………………………… 249
竹陰館 ……………………………… 249
青琳館 ……………………………… 249
夜雪吟館 …………………………… 249
什麼廬 ……………………………… 249
太平華館 …………………………… 250
省廬 ………………………………… 250
帚廬 ………………………………… 250
博雅廬 ……………………………… 250
麗軒 ………………………………… 250
柳陰軒 ……………………………… 251
嘉蔭軒 ……………………………… 251
無懷軒印 …………………………… 251
壺中庵 ……………………………… 251
自青榭 ……………………………… 251
石墨居 ……………………………… 251
白雲居 ……………………………… 252
此君亭 ……………………………… 252
留華洞 ……………………………… 252
留華洞 ……………………………… 252
頡頏樓 ……………………………… 252
夕紅樓 ……………………………… 252
涷雲樓 ……………………………… 253
思蔄樓 ……………………………… 253
山水樓 ……………………………… 253
築己樓 ……………………………… 253
寫劇樓 ……………………………… 253
滄海樓 ……………………………… 253
半聾樓 ……………………………… 254
海燕樓 ……………………………… 254
静壽山莊 …………………………… 254
聚石樓 ……………………………… 254
聚石樓 ……………………………… 254
湖海讀書樓 ………………………… 255
一粟山房 …………………………… 255
一粟山房 …………………………… 255
一粟山房 …………………………… 255
一粟山房 …………………………… 255
霞中山房 …………………………… 256
霞中庵 ……………………………… 256
月白山莊 …………………………… 256
同心并蒂蘭花館 …………………… 256
虎公所作八分 ……………………… 256
虎公之作 …………………………… 256
祉門所作 …………………………… 257
瓶齋書課 …………………………… 257
耐公五十後作 ……………………… 257
瓶士學篆 …………………………… 257
治易偶吟 …………………………… 257
觀瓶之居 …………………………… 257
觀瓶居讀書記 ……………………… 258
瓶齋三十以後文字記 ……………… 258
夏壽田作誦 ………………………… 258
壽田六十以後作 …………………… 258
德居士寫經 ………………………… 258
任卿校讀 …………………………… 259
雅翁詞賦 …………………………… 259
啞公題跋 …………………………… 259
侍兒直根同賞 ……………………… 259
小丁畫 ……………………………… 259
許坡翰墨 …………………………… 259
墨戲 ………………………………… 260
不成畫 ……………………………… 260
不善書 ……………………………… 260
屺瞻寫 ……………………………… 260

李氏翰墨 …………………………… 260
屺瞻墨戲 …………………………… 261
屺瞻歡喜 …………………………… 261
屺瞻墨戲 …………………………… 261
李氏家風 …………………………… 261
翰墨神仙 …………………………… 262
名余曰溥 …………………………… 262
令聞作畫 …………………………… 262
錯公四十後書 …………………………… 262
松樵書畫 …………………………… 262
軍餘書畫 …………………………… 262
劍鳴書畫 …………………………… 263
嶦農書畫 …………………………… 263
董揆畫記 …………………………… 263
若公餘墨 …………………………… 263
若公自適 …………………………… 263
仲光四十歲後書 …………………………… 263
尋常筆意偶見山人之法 …………………………… 264
楊通收藏金石書畫印 …………………………… 264
虎公心賞 …………………………… 264
曾在虎生處 …………………………… 264
瓶齋經眼 …………………………… 264
錦波過目 …………………………… 265
北齋寫經龕 …………………………… 265
齊氏白常手輯 …………………………… 265
印樓拓印 …………………………… 265
謝淵拜觀 …………………………… 265
謝氏吉金樂石 …………………………… 265
黔陽謝淵審藏書畫真迹印記 …………………………… 266
黔陽謝淵收藏秦漢以下金石文字之印 …………………………… 266
虎生賞鑒金石文字記 …………………………… 266
湘潭郭人漳世藏書籍金石字畫之印 …………………………… 266
曾藏茶陵譚氏天隨閣中 …………………………… 266
茶陵譚澤闓欣賞記 …………………………… 267
誦清閣所藏金石文字 …………………………… 267
帚廬所得精品 …………………………… 267
陳師曾所藏金石拓本 …………………………… 267
志逸讀斷碑記 …………………………… 267
治易讀造像記 …………………………… 267
阿潛珍賞 …………………………… 268
彭渠所藏 …………………………… 268
德居士藏 …………………………… 268
曾藏瘿庵 …………………………… 268
鳳亭珍藏書畫之章 …………………………… 268
一粟山房珍藏 …………………………… 269
伯群藏 …………………………… 269
壯飛眼福 …………………………… 269
一粟山房金石書畫記 …………………………… 269
劉果眼福 …………………………… 269
慧虚鑒賞 …………………………… 270
慧虚鑒藏 …………………………… 270
紀常過目 …………………………… 270
爾績家藏 …………………………… 270
樹常審定 …………………………… 270
蔚山考藏 …………………………… 271
桃蔭手拓 …………………………… 271
智謙所藏 …………………………… 271
喪志亭玩 …………………………… 271
通庵金石 …………………………… 271
治園考藏 …………………………… 271
敬之鑒藏 …………………………… 272
治薗鑒藏 …………………………… 272
治薗藏書 …………………………… 272
治園讀殘碑記 …………………………… 272
雨樵審定 …………………………… 272
之泗金石 …………………………… 272
仲儒鑒藏 …………………………… 273
仲欽借看 …………………………… 273

鐵夫珍藏 …… 273
興義王氏珍藏 …… 273
雙佳樓珍藏印 …… 273
白石坡珍藏章 …… 273
劍鳴珍藏書畫 …… 274
劍鳴珍藏書畫 …… 274
寒山書室印記 …… 274
六橋藏書 …… 274
志和藏書 …… 274
石檜書巢 …… 274
丁聰藏書 …… 275
百源書宬 …… 275
因是子藏書印 …… 275
余中英藏書印 …… 275
劉詔仿藏書印 …… 275
郭氏藏書 …… 275
鑒 …… 276
雅子藏印 …… 276
寅齊藏三伐器 …… 276
質雅鑒賞 …… 276
百五鏡印 …… 276
聚石樓金石文字所拓家傳孤本 …… 277
萍鄉文氏寅齊寶藏漢熹平周易石經殘碑之印 …… 277
吉 …… 277
吉祥 …… 277
千秋 …… 277
大壽 …… 278
長壽 …… 278
人長壽 …… 278
人長壽 …… 278
人長壽 …… 278
人長壽 …… 279
長相思 …… 279
寄思 …… 279
傲寒 …… 279
耐歲寒 …… 279
滿江紅 …… 280
門外人 …… 280
長年大利 …… 280
門外人 …… 280
大可人 …… 280
大利 …… 281
長年大利 …… 281
肝膽照人 …… 281
稱心而言 …… 281
實事求是 …… 281
筆墨消閑 …… 281
龍興鸞集 …… 282
簸弄烟雲 …… 282
視道如花 …… 282
春意闌珊 …… 283
澹泊寧静 …… 283
偷活沈吟 …… 283
允執厥中 …… 283
中道而行 …… 283
中立不倚 …… 283
寂寞之道 …… 284
中庸之道 …… 284
寂寞之道 …… 284
枕流漱石 …… 284
自强不息 …… 284
自我作古 …… 284
見賢思齊 …… 285
自有方圓 …… 285
風花雪月 …… 285
山外有山 …… 285
詞家清賞 …… 286
冰清玉潔·亭亭不倚(雙面印) …… 286
前有古人 …… 286

斜陽無限 …… 286
崛彊風霜 …… 287
清風明月 …… 287
業荒于戲 …… 287
金石奇緣 …… 287
落拓不羈 …… 287
福壽延年 …… 288
天涯芳草 …… 288
天機自得 …… 288
惜如抱枕 …… 288
天涯游子 …… 288
十分春色 …… 289
興之所至 …… 289
十歲成詞 …… 289
興之所至 …… 289
心游大荒 …… 290
風吟月和 …… 290
恬澹自適 …… 290
鴻爪留痕 …… 290
閑雲野鶴 …… 290
樂此不疲 …… 291
閑雲野鶴 …… 291
貌為奇古 …… 291
結習未除 …… 291
意與古會 …… 291
寫竹醫俗 …… 292
墨池清興 …… 292
遇圓因方 …… 292
美意延年 …… 292
人生幾何 …… 292
何用相思 …… 292
何花不秀 …… 293
問道于石 …… 293
苦澹同甘 …… 293
陽春白雪 …… 293
屋小如月 …… 293
萬花如海 …… 293
博施濟衆 …… 294
不貪為寶 …… 294
黑白分明 …… 294
古香時艷 …… 294
釋冰冰釋 …… 294
善者苦也 …… 295
汲古 …… 295
聖有愚色 …… 295
痴腸俠骨 …… 295
不退菩提心 …… 295
不可居無竹 …… 296
問君能有幾多愁 …… 296
哀窈窕思賢才 …… 296
疑古 …… 296
幽寂 …… 297
弘農 …… 297
心佛 …… 297
强項令 …… 297
令德唱高言 …… 297
家貧無故業不敢取微官 …… 297
乞巧前一日生 …… 297
微風閑坐古松 …… 298
溯流風天獨寫 …… 298
誰念為儒處世難 …… 298
吏隱 …… 298
夜行 …… 298
孤舟 …… 298
生意 …… 299
人英 …… 299
無念 …… 299
無愁 …… 299
俊陽 …… 299
山神 …… 299

三兩竹 …… 312
開生面 …… 313
新荷葉 …… 313
杏花天 …… 313
歌事遂情 …… 313
造化師 …… 314
虛室生白 …… 314
不逐隊行 …… 314
為疾用舒 …… 314
漁村漁家 …… 314
不知有漢 …… 314
為山小隱 …… 315
生長白沙 …… 315
跛翁虎尾 …… 315
六轡在手 …… 315
心之所安 …… 315
心空及弟 …… 315
桂樹叢生 …… 316
性剛才拙 …… 316
苦惱衆生 …… 316
修竹吾廬 …… 316
勁節冰霜 …… 316
不耐入微 …… 317
朱朱白白 …… 317
花草神仙 …… 317
適我意耳 …… 317
暫止便去 …… 317
道情神理 …… 318
萬庵梅花 …… 318
俱在山樓 …… 318
輔世長民 …… 318
興不淺也 …… 319
以畫為樂 …… 319
不比往日 …… 319
潘陽小民 …… 319
神鬼無功 …… 319
銳挫塵同 …… 319
江湖好夢 …… 320
家在沅水之上 …… 320
熱愛祖國 …… 320
疏散是本性 …… 320
斗室沈醉者 …… 320
樵山漁水 …… 321
萬物滄江 …… 321
農家風味 …… 321
平澹天真 …… 321
白眼青天 …… 321
冰霜可人 …… 322
妙廬百印 …… 322
奇石五百 …… 322
相見有緣 …… 322
相看兩不厭 …… 323
笑我石緣 …… 323
客途所得 …… 323
大寫自然 …… 323
知己海客 …… 324
餘笑流俗 …… 324
餘俗洗盡 …… 324
我之大成 …… 324
白心先生一枝筆 …… 324
梅開日利 …… 325
興到壺歌 …… 325
平澹 …… 325
也應驚問近來多少華髮 …… 325
月華如練長是人千里 …… 326
浮世除詩盡强名 …… 326
未知肝膽向誰是 …… 326
未央磚瓦甲天下 …… 326
家在龍山貢水間 …… 326
家在石湖人不到 …… 326

家在圭峰故里 …………………………… 327
家在清風雅雨間 …………………………… 327
家在揚州梨花深處 …………………………… 327
貫遲作會愛書來 …………………………… 327
肯信吾兼吏隱名 …………………………… 327
最憐君想入非非 …………………………… 327
一夜吹香過石橋 …………………………… 328
有精神有事業 …………………………… 328
正直寬平好道場 …………………………… 328
剛健篤實輝光 …………………………… 328
牝牡驪黄之外 …………………………… 328
連山好竹人家 …………………………… 328
畿南文獻之家 …………………………… 329
無力正乾坤 …………………………… 329
大巧必有奇窮 …………………………… 329
騁望黄金吉室 …………………………… 329
賢者而後樂此 …………………………… 329
是以謂之文也 …………………………… 330
游戲人間四十年 …………………………… 330
杏花春雨江南 …………………………… 330
孝經一卷人家 …………………………… 330
江湖滿地一漁翁 …………………………… 330
南面王不易 …………………………… 330
高壓天魔萬二千 …………………………… 331
回首望長安 …………………………… 331
奴性不識自賤 …………………………… 331
獵以我道皆成禽 …………………………… 331
春光全在杏花紅 …………………………… 331
形似是末節 …………………………… 332
一擲千金渾是膽 …………………………… 332
飲于黄河食于蒿山三送春秋 ………… 332
百樹梨花一樹開 …………………………… 332
流得清香滿乾坤 …………………………… 332
勤于斯斯無分心處 …………………………… 333
過目自適·舊迹難捨(雙面印) ………… 333
一擲千金渾是膽 …………………………… 333
作宰耒陽後鳳凰一千七百一十五年 … 333
曾歸于己怡然自樂 …………………………… 334
吾有佳石三千 …………………………… 334
吾書無大家風 …………………………… 334
小紅初長成 …………………………… 334
落花本是無情 …………………………… 335
少翁自適五十年 …………………………… 335
東風吹柳日初長 …………………………… 335
師淵明之雅放 …………………………… 335
雨餘芳草斜陽 …………………………… 335
此花可煮·前身乃明月·立雪紅顔·何必人離騷(多面印) …………………………… 336
余集秦漢文字·吾吟唐宋詩歌·印崇西泠老手·畫敬明清八家(多面印) ………… 336
師淵明之雅放吾不逮學襄陽之敬石我過之·百家石印吾有八九八賢手筆僅居拾一(雙面印) …………………………… 337
楊柳春風緑岸桃花落日紅酣
三十六陂秋水白頭重到江南
(雙面印) …………………………… 337
杏花零落燕泥香睡損紅妝寶篆烟銷龍鳳·畫屏雲鎖瀟湘夜寒微透薄羅裳無限量(雙面印) …………………………… 338
奇石滿一廬佳印集百家米氏當屈指北堂一後主 …………………………… 338

索引

篆刻 …………………………… 2

CONTENTS

CONTENTS

The Seal－Making of Qi Baishi .... Luo Suizu 2

Part I Seals for Private Use

Formal Names, Easy-Use Names, House or Mansion Names, Ornamental Words, and Lucky Phrases

Qi Baishi 2
Qi Baishi 2
Qi Baishi 2
Qi Baishi 2
Qi Baishi 2
Qi Baishi 2
Qi Baishi 2
Private Seal of Chenhuang 3
Qi Pinsheng 3
Pinsheng 3
Pinsheng 3
Qi Bozi 3
Henweng (Old Hatredsman) 3
Zhi 3
Childhood name Ah Zhi 4
Ah Zhi 4
Ah Zhi 4
Qi Da (The eldest of the Qi brothers) 4
Qi Da (The eldest of the Qi brothers) 4
Qi－ren (Man from Qi) 4
Ping Weng (Ping the Aged Man) 4
Old Man from Mount Jieshan 5
Old Man from Mount Jieshan 5
Signet of Wood Gahapati 5
Signet of Wood Gahapati 5
Given me Huang as formal name and Pinsheng for easy use 5
Qi Baishi. Master of Mount Jieshan (dihedral seal) 5
Qi Huang views. Baishi viewed (dihedral seal) 5
Qi Huang writes with respect. Five generations in one household. Complexion faded only to leave me in sorrow. Fear that green mountains laugh that I am not as I was (polyhedral seal) 6
Qi Huang. Binsheng. Yearning. Pinsheng of the Qis. An absence from natives produces hundreds of sorrows (polyhedral seal) 6
Seal of Qi Huang. Seal of Qi Fang. Old Ping laborious. Ah Zhi. Man from Qi (polyhedral seal) 7
Qi Huang sees again in his late years. Baishi accounts. Ping the aged man says. Woodsman Qi. What if peace comes (polyhedral seal) 7
Baishi pretends to look. Pin the aged man pretends to read. To understand me there is only the plum (polyhedral seal) 8
Baishi the aged man. Old Ping (dihedral seal) 8
Qi Fang 8
Seal of Qi Fang 8
Qi Fang 9
Qi Da (The eldest of the Qi brothers) 9
Qi Da (The eldest of the Qi brothers) 9
Ah Zhi 9
Ah Zhi 9
Ah Zhi 9
Qi Huang 10
Seal of Qi Huang 10
Baishi the aged man 10
Baishi the aged man 10
Baishi the aged man 10
Baishi the aged man 11
Baishi the aged man 11
Baishi the aged man 11
Baishi the aged man 11
Baishi the aged man 11
Baishi in strawcoat 11
Baishi the painter 12
Old Man of Mount Jieshan 12
Old Man of Mount Jieshan 12
Old Man of Mount Jieshan 12
Elder of Mount Jieshan 12
Ping the aged man 12
Ping the aged man 12
Ping the aged man 13
Ping the aged man 13
Ping the aged man 13
Ping 13
Ping the aged man 13

Ping the aged man 13
Lan Ting (Orchid Pavilion) 14
Baishi 14
Baishi 14
Baishi 14
Baishi 14
Signet of Baishi 14
Baishi 15
Baishi 15
Signet of Baishi 15
Private seal of Baishi 15
Baishi the recluse 15
Baishi the old man 16
Woodsman 16
Woodsman 16
Woodsman 16
Woodsmaster 16
Wood Gahapati 16
Wood Gahapati 16
Signet of Wood Gahapati 17
Wood Gahapati 17
Wood Gahapati 17
Aged Qi 17
Qi the aged man 17
Aged Wood 17
Aged Ping 18
Aged Ping 18
Aged Bai 18
Aged Bai 18
Aged Bai 18
Qi Baishi views 18
Insect painted by Baishi 19
Baishi once saw 19
Baishi in contentment 19
Account by Baishi 19
Dedication from Baishi 19
Draft of Baishi 19
Making of Baishi 20
Fore - and afterwords by Baishi 20
Fore - and afterwords by Baishi 20
Fore - and afterwords by Baishi 20
Fore - and afterwords by Baishi 20
Three replies from Baishi 20
Seal characters by Baishi 21
Permission from Baishi 21
Baishi sees 21
Poetry workshop of Baishi 21
Aged Ping once saw 21
Hand of aged Ping 22
Qi Huang the skilled hand 22
Skilled hand Qi Baishi 22
Impressions of bronze - and - stone inscriptions in the collection of Qi Baishi 22
Handwritings and paintings in the collection of Ping the aged man 22
Appreciation by Ping the aged man 22
Thirty - five years in the collection of Qi Pinsheng 23
Pinsheng feasting his eyes 23
Inheritance of the Qis 23
Director of Mount Long Poets 23
Aged Qi saw with his eyes 23
(In) the collection of Qi Baishi 23
Three - Hundred - Stone - Seal Mansion ... 24
Mount Jieshan Workshop 24
Rich man of three hundred stone seals 24
Delight - in - Stone House 24
Signet of Mount Jieshan Workshop 24
Brush house of Baishi 25
Steamer - house 25
Steamer - house 25
Cook of paintings 25
Village cook of paintings 25
Eight - Inkstone Building 25
Master of Mount Jieshan Poetry Workshop 26
Huiwu Hall 26
Huiwu Hall 26
Jiping Hall 26
Huiwu Hall 26
Jiping Hall 26
Jiping Hall 27
Jiping Poetry Workshop 27
Wudang (Non - partisan) 27
Old Villager of Apricot Dock 27
Half - Deaf 27
Starveling 28
Man from ancient Tanzhou 28
Man from ancient Tanzhou 28
Man from ancient Tanzhou 28
Fisherman from ancient Tanzhou 28
Aged farmer on Xiang soil 28
Rebirth 29
(I am) Xiangtanese 29
(I am) Xiangtanese of Changsha China ... 29
Golden times spent in vain 29
Heart without fantasies 29
Bronze - and - stone year 30

I was born without land to eat of the broken inkstone ··· 30
Health though with poverty brings no shame ··· 30
Account that I began to learn ci – poetry making after fifty ··· 30
One – piece ci – poet ··· 30
Plum my company ··· 30
Life of kindness without change ··· 31
Sweating scholar ··· 31
Purity and pleasure with health ··· 31
Regret that I hadn't read for ten years ··· 31
A lonely cloud without spring in mind ··· 31
What vulgar fashion despises ··· 32
What vulgar fashion despises ··· 32
Ink – washing knows no coldness of pool water ··· 32
Love beans in autumn wind ··· 32
Disdainful eyes upon people of the world ··· 32
Grubstreeting since Wu – Wu year ··· 32
I the aged man belong in the furry kind ··· 33
Creation of forces natural not artificial ··· 33
Native country offers no such heavenly grace ··· 33
Peace in life reminds one of royal grace ··· 33
I read and hung books on cattle horns in childhood ··· 33
Long days abroad bring nolstalgia ··· 34
Long days abroad estrange one from his descendants ··· 34
Dreams of cotton – rose country beyond eight thousand miles ··· 34
Three plentitudes ··· 34
Fool of the olden times ··· 34
Disciple under the great master ··· 35
Disciple under the great master ··· 35
Disciple under Lu Ban the master – carpenter ··· 35
Disciple under Lu Ban the master – carpenter ··· 35
Simpleton ··· 35
Indomitable ··· 35
Pingsheng laborious ··· 36
A household of events ··· 36
A household of events ··· 36
Commoner of the South ··· 36
Shedding tears in old age to mourn over Fanshan ··· 36
Friend's understanding is beneficence ··· 36
Yearning for you breaks my heart ··· 37
Shedding tears to mourn over Fan Jia ··· 37
Wang Fan passed away and the heaven keeps Qi Da as a star ··· 37
Moonlight in days abroad shines upon native mountains as well ··· 37
Past things placed in thoughts ··· 38
Ashamed of favour – asking visit ··· 38
Wind upon the west mountain brings daily yearning ··· 38
Copying of the classic of cattle – appraisal ··· 38
Bell – ringing monk in the prelife ··· 38
Spirits of an age are flowers and grasses ··· 39
One of greatest artifice worries ··· 39
Secrets in one bossom find expression from crickets ··· 39
Poverty produces poetry ··· 39
Spirits of an age are flowers and grass ··· 39
Idle life among grasses ··· 39
Poverty brings mastery of poetry ··· 40
Knowledge in mind takes the manner of ignorance ··· 40
Why for me to worry ··· 40
Heart upright ··· 40
People are distant across flowers but the horizon is near ··· 40
Heart feeble as ashes ··· 40
Autumn breezes again in with the easy passage of a year ··· 41
The fox of me ··· 41
Sunset on horseback to flowers at the foot of the wall ··· 41
Your father looked over ··· 41
Father and son in cooperation ··· 41
Aged Ping has sons ··· 41
The kind lives in longevity ··· 42
Bell – bearing man ··· 42
The aged in longevity ··· 42
Cook stones ··· 42
Double third ··· 42
Painstaking mortar ··· 42
Shut the door ··· 43
Why after bubble reputation ··· 43
Bubble reputation overshoots the truth ··· 43
Let no reputation overshoot the truth ··· 43
I make painting in my own way ··· 43

Open not the door where lotus flowers are many ········ 43
Yearning to hold the fishing rod of youth ········ 44
Complexion dimmed with sorrow left ······ 44
Hold pear blossom for visitors ·············· 44
Disciple is half a friend ······················ 44
A disciple as friend is a benefactor ········· 44
One of sensitivity must be tender to sorrow ········ 44
Why so late a return ··························· 45
Watch poolfish in a return dream ············ 45
Common varieties of families ················· 45
At the foot of lotus mount is my home ······ 45
Of a hundred ways leisure is the best ······ 45
Aged Ping sees it for predestination ········· 45
Vagabond with writings and paintings to the edge of the world ······························ 46
The aged is willing to act as wished ········· 46
All painter – meetings unable to attend ······ 46
The white house at star pond produces no peers ········ 46
Once ascended the building where Li Bai read ········ 46
Take much pains to be man of erudition ········ 46
Beneficiary is not to forget ··················· 47
Friendlessness is the result of discord ······ 47
Once lying to watch buffalo hills ············ 47
The remainder of the ashes of Ding – Si year disaster ··· 47
Worldly reputation deserves no admiration ········ 47
Fame is but a broken steamer ················· 47
Eyes feasted on the sights of west mountains ········ 48
It's time flowers bloom on my native mountains ········ 48
Feed the buffalo not to the water that once washed ears ··································· 48
Surrounding the house there are 72 peaks of Mt Hengshan ···································· 48
At the foot of Mt Dongshan is my home ········ 48
My heart is known only to the lonely cloud ········ 48
They say that sorrow fades away where one goes ·· 49
Flowers dance where partridges chant ······ 49
A gain in hair and beard white as remaining snow ··· 49
Mountain Lady in illness comes to help ··· 49
A wish unfulfilled brings a life – time regret ········ 49
Where my way leads ···························· 49
My way leads westward ······················· 50
I lived in poverty when young ··············· 50
I treasure seconds of time ···················· 50
We are grasses at leisure ······················ 50
My home sits at the foot of Mt Heng ······ 50
Little insect – carving craft as family fame ········ 50
Solitary poetry – making in the wind – swept moonlight ·· 51
It's necessary to know that heaven helps the laborious ·· 51
He invites attacks who is superior to all in virtue ··· 51
My paintings sweep the world but most of them are faked ······································· 51
My paintings sweep the world but most of them are faked to cheat ····························· 51
Fancy to bind the sun with a long rope ··· 51
Hundreds of peculiarities come to my heart ········ 52
Hundreds of battles I survived as an intact man ········ 52
Baishi in his old age appreciates ·············· 52
Baishi in his old age amuses himself ········ 52
Contentment conquers misfortune ··········· 52
I snatched half a day's leisure from the floating life ·· 52
Doorway – sweeper in winds of four seasons ········ 53
Study as long as the last breath exists ······ 53
Of three thousand parasites none is from Zhao or Wu ··· 53
Misfortune manifests friendship ·············· 53
A gentleman is of tolerance ·················· 53
Plants are not necessarily heartless ········ 53
I am one of the mass of plants ·············· 54
A passer – by of Tianya Pavilion ············ 54
I write with imagination instead of principle ········ 54
I unbridled myself in different interests ··· 54
Poetry, calligraphy, painting and seal, I have achievement in none of the four ··········· 54
Rather people wrong me (than I worry people)

·· 54
Wish that my children and grandchildren treasure it ········ 55
If I hurt people, people will hurt me ······ 55
Heart is foe to body ········ 55
Who of the unlessoned disciples does not hide benevolence ········ 55
Hair waving loose in the spring wind ······ 55
Cricket chanting contains no complaint ··· 56
Old eyes place the four seas out of the sight ········ 56
Painstaking composition is all like cry of cricket ········ 56
Lad and lass love in hate ········ 56
Pear blossom yard ········ 56
Pear blossom yard yearning for you ········ 56
Grafting craft ········ 57
Owner of hundreds of trees of pear blossoms ········ 57
Work as buffalo and horse in old age for children ········ 57
Sigh that bubble fame deserves but a laughing ········ 57
A watch onto white clouds reminds one of native mountains ········ 57
A suffering man but of clothing and food ········ 57
Children despise not my calligraphy ········ 58
A farm-implement manual to be inherited by children ········ 58
Ashamed that I am known to the world ··· 58
Ashamed that I am known to the world ··· 58
West mountains, if able to laugh, laugh at me ········ 58
West mountains exist but in want of sympathy ········ 58
Once experienced the snowstorm on Baqiao Bridge ········ 59
Purchase the Tie-Plain embroidery that ties the purchaser ········ 59
Sigh that poverty occured in my middle years ········ 59
Close the ears to the partridge on the homeward way ········ 59
How can one disappoint the west mountain cuckoos ········ 59
Ears are deaf to worldly affairs alone ······ 59
One of four fear-nots ········ 60
(I am) tired and sleepy so that you have to take leave ········ 60
Law-abiding citizen of China ········ 60
Bloom is not yet full and the moon not yet round ········ 60
Wood with disutilization preserves its natural span of life ········ 60
How can the aged act as the monkey under the gong ········ 61
How can the aged act as the monkey under the gong ········ 61
Old age makes one deaf and mute for no reason ········ 61
Idleness holds up one's lifetime career ······ 61
There is no talking of the weaknesses of people ········ 61
I despise one man ········ 61
None of the superiors fails to cultivate the inferiors ········ 62
Mastery of naturality ········ 62
Partings and disturbances in the late years ········ 62
For peace go to divination ········ 62
A hill and a vale I think I can outdo ········ 62
One who is a doorman at eighty ········ 63
One with an eye knows what is true or faked ········ 63
Old man of seventy-three ········ 63
Aged but healthy one scorns to change state with celestials ········ 63
After seventy ········ 63
At the age of seventy-three ········ 64
Carved after seventy-three ········ 64
Old man of seventy-four ········ 64
Senile man of seventy-eight ········ 64
Senile man of seventy-nine ········ 64
My age is eighty ········ 65
My age is eighty-two ········ 65
At the age of eighty-three ········ 65
The age of eighty-five ········ 65
The age of eighty-six ········ 65
My age is eighty-seven ········ 65
My age is eighty-eight ········ 66
The age of eighty-nine ········ 66
The age of ninety ········ 66
Old man of ninety-two ········ 66
Old man of ninety-nine ········ 66
Painting begun in Yi-Chou year ········ 67
Gui-You year ········ 67
Jia-Xu year ········ 67

Yi－Hai year ······ 67
Bing－Zi year ······ 67
Ding－Chou year ······ 67
Xin－Si year ······ 68
Gui－Wei year ······ 68
Xin－Mao year Jia－Wu month ······ 68
Wife of Baishi ······ 68
Old wife of seventy－three beyond eight thousand miles ······ 68
Woman of Qi Baishi ······ 69
Qi Baozhu ······ 69
Bao ······ 69
Bao the lady ······ 69
Guizi ······ 70
Qi Hui Guizi ······ 70
Light ······ 70
Light Hall ······ 70
Qi Juru ······ 70
Eldest daughter of Baishi ······ 71
Qi Liangkun ······ 71
Seal of Qi Liangkun ······ 71
Seal of Qi Liangkun ······ 71
Liangkun ······ 71
Liangkun ······ 71
Ziru ······ 71
Ziru ······ 72
Seal on the bronze－and－stone inscriptions appreciated by Ziru ······ 72
Seal on poems, handwritings and paintings of Ziru ······ 72
Qi San (The third of the Qi brothers) ······ 72
Qi Liangchi ······ 72
Seal of Qi Liangchi ······ 72
Liangchi ······ 73
Zichang ······ 73
Zichang ······ 73
Qi Lianglian ······ 73
Descendants of Baishi ······ 73
Qi Si (The foruth of the Qi brothers) ······ 74
The fourth son of Baishi ······ 74
Qi Lianghuan ······ 74
Seal of Qi Liangzhi ······ 74
Seal of Qi Liangzhi ······ 74
Liangnian ······ 75
Wengzi ······ 75
Wengzi ······ 75
Liangping ······ 75
Fei'er ······ 75
Yisheng ······ 75
Grandson of Baishi. Seal of Qi Bingling (dihedral) ······ 76
Qi Bingshuai ······ 76
Folai ······ 76
Disciple to Tathagata ······ 76
Twelfth grandson of Baishi ······ 76
Disciple of Baishi ······ 76
Disciple of Baishi ······ 77
Parasite to Mount Jieshan ······ 77
Apprentice to Baishi ······ 77
Disciple to Mount Jieshan ······ 77
Disciple of Baishi ······ 77

Part II Seals for Others to Use

Formal Surnames and Names, Informal Names, Epithets and Titles

Ren (Task) ······ 79
Yu (Speech) ······ 79
Ou ······ 79
Gang (Principle) ······ 79
Fu (Wealth) ······ 79
Shui (Water) ······ 79
Ben (Root) ······ 80
Qian (Modesty) ······ 80
Yong (Bravery) ······ 80
Zeng (Presentation) ······ 80
Xi (Happiness) ······ 80
Jian (Closure) ······ 80
Si (Silk) ······ 81
Shi (Comfort) ······ 81
Shi (Comfort) ······ 81
Chan (Dhyana) ······ 81
Chan (Dhyana) ······ 81
Ya (Erudition) ······ 82
Ya (Erudition) ······ 82
Shen Er (The second of the Shen brothers) ······ 82
(Of) the Lous ······ 82
(Of) the Zous of Liuyang ······ 82
Bai Heng ······ 83
Bai Pin ······ 83
Bai Feng ······ 83
Bai Xida ······ 83
Xie Da (The eldest of the Xie brothers) ······ 83
Xie Da (The eldest of the Xie brothers) ······ 83
Recent situation of Xie Da ······ 84

Xiao Xie ········· 84
Private seal of Chenyuan ········· 84
Formal seal of Chenyuan ········· 84
Signet of Xie Yuan ········· 84
Formal seal of Xie Yuan ········· 84
Huxun, also called Mo'an ········· 85
Seal of Xie Daohong ········· 85
Seal of Xie Chengbing ········· 85
(Of) the Tans of Nanhai ········· 85
Tan Jifu ········· 85
Seal of Tan Yankai ········· 85
Seal of Tan Zekai of Chaling ········· 86
Seal of Tan Zekai ········· 86
Seal of Tan Yankai ········· 86
Yankai ········· 86
Fearless ········· 86
Xia Jingyuan ········· 87
Seal of Xia Shouxun ········· 87
Seal of Xia shiding ········· 87
Seal of Xia Peide ········· 87
Seal of Xia Shoutian ········· 87
Seal of Xia Shoutian ········· 88
Seal of Xia Shoutian ········· 88
Seal of Xia Shoutian ········· 88
Seal of Xia Shoutian ········· 88
Seal of Xia Shoutian ········· 89
Tianji ········· 89
Seal of Zeng Zongjun ········· 89
Zhixi ········· 89
Li ········· 90
Seal of Zeng Kuoqing ········· 90
Seal of Zeng Kuoqing ········· 90
The fifth of Li brothers of the South ········· 90
Li Zihe ········· 90
Zihe ········· 90
Guo Quan ········· 91
Guo Zhi ········· 91
Guo Lengxian ········· 91
Guo Xiuyi ········· 91
Seal of Guo Xiangyang ········· 91
Seal of Guo Youshou ········· 91
Seal of Guo Yanzhi ········· 92
Seal of Guo Xidu ········· 92
Seal of Guo Zongxi ········· 92
Seal of Qi Guohuang ········· 92
Seal of Qi Xieyuan ········· 92
Yang ········· 93
Yang Du ········· 93
Yang Xizi ········· 93
Xizi ········· 93
Shihu ········· 93
Husheng Xingyi ········· 93
Chenjun, also named Zheng ········· 94
Baixin ········· 94
Yang Zhuang ········· 94
Yang Zhongzi ········· 94
Yang Bolu ········· 94
Yang Jianqiu ········· 94
Yang Shuzi ········· 95
Shuzi ········· 95
Seal of Yang Zhaojuan ········· 95
Seal of Yang Zhaojuan ········· 95
Seal of Yang Junxiao ········· 96
Yang Jiqing's father ········· 96
Shudu ········· 96
Shudu reading ········· 96
Shudu in longevity ········· 96
Shao ········· 97
Shao Yiping ········· 97
Shao Xiaoyi ········· 97
Xiaoyi ········· 97
(Of) the Shaos of Eastern Zhejiang ········· 97
Shao Yuanzhong ········· 97
Shao Yuanzhong ········· 98
Yuanzhong ········· 98
Shao Yuanzhong, called Yiru ········· 98
Yiru ········· 98
Shao Motian ········· 98
Hu Rui ········· 98
Hu Peiheng ········· 99
Seal of Hu Peiheng ········· 99
Peiheng ········· 99
Seal of Peiheng ········· 99
Seal of Hu Shikai ········· 99
Seal of Hu Hanmin ········· 99
Seal of Hu Junsheng ········· 100
Seal of Hu Ruoyu ········· 100
Seal of Hu Ruoyu ········· 100
Seal of Hu Zhenming ········· 100
Seal of Hu Tingfang ········· 100
Chen Yuan ········· 100
Chen Si ········· 101
Si ········· 101
Chen Yi ········· 101
Seal of Chen Wei ········· 101
Seal of Chen Hengning ········· 101
Seal of Chen Xizeng ········· 101
Shizeng's poem ········· 102

Chen Guofu 102
Chen Yuxin 102
Chen Yunwen 102
Chen Paoweng 102
Paoweng 102
Chen Ren of Yangxi 103
Lady of the Chens 103
Seal of Chen Zhichu 103
Seal of chen Weigeng 103
Seal of Fangxian 103
Seal of Chen Yaolun 103
Seal of Chen Jichang 104
Seal of Chen Shusen 104
Seal of Chen Shusen 104
Seal of Chen Shusen 104
Seal of Chen Jianai 104
Zhang 104
Daqian 105
Zhang 105
Zhang E 105
Zhang Qun 105
Zhang Han of Thorngate 105
Zhang Kaiji 105
Zhang Peishen 106
Zhang Tingjun 106
Zhang Daofan 106
Zhang Bantao 106
Zhang Mojun 106
Mojun 106
Seal of Zhang Zuomin 107
Seal of Zhang Boju 107
Seal of Zhang Bolie 107
Seal of Zhang Kegong 107
Seal of Zheng Renli 107
Fanqing 108
Seal of Zhang Yijun 108
Seal of Zhang Zixiang 108
Seal of Zhang Qixu 108
Seal of Zhang Chuanxuan 108
Seal of Zheng Mingzhe 109
Seal of Zhang Xueliang 109
Seal of Zhang Shuxun 109
Wang Zhi 109
Wang Ti 109
Wang Huai 109
Tisheng 110
Tisheng 110
Wang Rong 110
Wang Dazhang 110
Wang Baiyu 110
Wang Shixie 110
Wang Guanghui 111
Wang Zhaojun 111
Wang Shouxin 111
Wang Daoyuan 111
Wang Zhaowen 111
Wang Ruobo 111
Wang Miaoru 112
Zhu 112
Zhu 112
Zhu 112
Wang Enshi 112
Wang Guizhen 113
Wang Zhannong 113
Jifu of the Wangs 113
Wang Yong of Sui'an 113
Seal of Wang Dayin 113
Wang Yong of Sui'an 113
Seal of Wang Wenyan 114
Seal of Wang Ningdu 114
Seal of Wang Yongshu 114
Seal of Wang Zhicheng 114
Seal of Wang Boqun 114
Seal of Wang Boqun 114
Seal of Wang Bohu 115
Seal of Wang Zhuyu 115
Seal of Wang Bingxin 115
Seal of Wang Shuchang 115
Seal of Wang Zekuang 115
Seal of Wang Cibo 115
Seal of Wang Yuzhi 116
Seal of Wang Yuzhi 116
Wang Zanxu 116
Zhi Yuan in longevity 116
Seal of Wang Qigui of Jingu 116
Seal of Wang Zanxu 116
Li 117
Li Hang 117
Li Jing 117
Li Jieru 117
Li Jieru 117
Li Zongli 117
Li Zhichao 118
Boatman of Baiyang Waters 118
Li Daqun 118
Li Dequn 118
Li Baiheng 118
Seal of Li Ying 118

Ying ········· 119
Li Kuchan ········· 119
Kuchan ········· 119
Kuchan ········· 119
Li Jingyu ········· 119
Jingyu ········· 119
Seal of Li Zongbi ········· 120
Jingyu ········· 120
Seal of Li Shuhua ········· 120
Seal of Li Wenlian ········· 120
Seal of Li Zhonggong ········· 120
Seal of Li Ruchang ········· 121
Seal of Li Hongkun ········· 121
Seal of Li Dongchen ········· 121
Seal of Li Xiaochen ········· 121
Seal of Li Rongwen ········· 121
Seal of Li Qiansan ········· 121
Zhu ········· 122
Zhu ········· 122
Zhu. Zhu (dihedral seal) ········· 122
Zhu. Zixun (dihedral seal) ········· 122
Zhu ········· 122
Zhu Qizhan ········· 123
Zhu Qizhan ········· 123
Zhu Zengjun ········· 123
(Of) the Zhus of Loujiang River ········· 123
Seal of Zhu Zengjun ········· 124
Zengjun ········· 124
Qizhan ········· 124
Qizhan ········· 124
Qizhan ········· 125
Qizhan ········· 125
Qizhan ········· 125
Qizhan ········· 125
Qizhan ········· 126
Qizhan ········· 126
Qizhan ········· 126
Zhu Jiafan ········· 126
Seal of Zhu Qiongying ········· 127
Seal of Zhu Yanyu ········· 127
Zhu Yu, Lord Yun ········· 127
Xiang Cheng ········· 127
Pacifing – Power General ········· 127
Cao Yunxiang ········· 127
Seal of Cao Kun ········· 128
Seal of Cao Kun ········· 128
Tiger – Power Upper General ········· 128
Seal of Cao Kun ········· 128
Inspecting Minister to Zhi, Lu, and Yu Provinces ········· 128
Inspecting Minister to Zhi, Lu, and Yu Provinces ········· 129
Inspecting Minister to Zhi, Lu, and Yu Provinces ········· 129
Ye Kun ········· 129
Luo Qian of Huanggang ········· 129
Seal of Luo Qian ········· 130
Zhipo ········· 130
Zhipo ········· 130
Seal of Luo Qian ········· 130
Seal of Jiang Zhongzheng ········· 130
Jieshi (Kai – Shek) ········· 130
Ding Chao ········· 131
Ding Cong ········· 131
Seal of Ding Ke ········· 131
Seal of Jiang Zuobin ········· 131
Luo Yuting ········· 131
Seal of Luo Bingshan ········· 132
Luo Xiangzhi ········· 132
Luo Jialun ········· 132
Seal of Luo Baochen ········· 132
Wang Shen ········· 132
Seal of Wang Shen ········· 132
Seal of Wang Jilin ········· 133
Seal of Wang Yishu ········· 133
Seal of Wang Ruikai ········· 133
Seal of Wang Jilin ········· 133
Seal of Wang Zhilin ········· 133
Seal of Wang Shenbo ········· 133
Lord Mei ········· 134
Wanhua ········· 134
Huanhua ········· 134
Zhou Mao ········· 134
Seal of Zhou Zuoren ········· 134
Zhou Zuoren ········· 134
Seal of Zhou Junsu ········· 135
Zhou Junsu ········· 135
Zuoren ········· 135
Seal of Zhou Chuanjing ········· 135
Seal of Zhou Dawen ········· 135
Seal of Zhou Zhenlin ········· 135
Seal of Zhou Pan ········· 136
Lin Fengmian ········· 136
Seal of Lin Fengmian ········· 136
Seal of Lin Fengmian ········· 136
Fengmian ········· 136
Fengmian ········· 136
Lin Weiyin ········· 137

Xu Tu 137
Seal of Xu Zuzheng 137
Seal of Xu Zaisi 137
Seal of Xu Baoqing 137
Xu Beiheng 137
Seal of Xu Kan 138
Xu Dao, also called Ergan 138
Yutian of the Wans 138
Seal of Wan Guojun 138
Zhenfu 138
Seal of Lu Dangping 139
Seal of Lu Dangping 139
Wu Ziting 139
(Of) the Wus of Jingchuan – River of the Wus 139
Wu Xianting 139
Seal of Wu Kaisheng 140
North River 140
Wu Jinkui, called Yi'an 140
Liu Hong 140
Liu Fu 140
Liu Qianli 140
Liu Zhiping 141
Seal of Liu Wenhui 141
Seal of Liu Boying 141
Seal of Liu Chunzhong 141
Seal of Liu Zhiqing 141
Seal of Liu Yan 141
Private Seal of Liu Bai 142
(Of) the Lius of Dongguan 142
Liu Guo of Zhuyang 142
Huang Jun of Houguan county 142
Junbi 142
Huang Shu 142
Huang Jiguo 143
Seal of Huang Tianzhang 143
Seal of Huang Zengyue 143
Sun Dongming 143
Buddhist Disciple Dongming 143
Seal of Sun Qiming 143
Du Chen 144
Du Chen 144
Du Zhishen 144
Du Laode 144
Gao 144
Gao Gan 144
Gao Ruming 145
Wei 145
(Of) the Weis 145
Wei Wuyin 145
Wei Wuyin 145
Seal of Wei Junfan 145
Yu 146
Yu 146
Youren 146
Yu Bentong 146
Fang Yan 146
Signet of Fang Ming 147
Seal of Zhao Liangzhi 147
Seal of Zhao Zhongyu 147
Seal of Zhao Zhongyu 147
Seal of Zhao Qilu 147
Seal of Yuan Jiapu 147
Yu 148
Seal of Yu Ren 148
(Of) the Yus of Pixian County 148
(Of) the Yus of Xinghua 148
Seal of Yu Zhongying 148
Seal of Yu Zhongying 148
Xing Gong 149
Seal of Xing Zhou 149
Yu Gong 149
Seal of Ouyang Ming, or Huixu for easy use, of Xinhua 149
Yu Xin 150
Seal of Ouyang Ming 150
Seal of Ouyang Ming 150
Ming 150
Ming 151
Seal of Ming 151
Seal of Ming 151
Seal of Ouyang Jian 151
Ouyang Huixu 152
Huixu 152
Ouyang Zhidong 152
Seal of Cui Bohong 152
Zhidong 152
Seal of Xu Shoukang 153
Cui Zhenhua 153
Seal of Cui Shuqing 153
Seal of Xu Zhonglu 153
Old Peng 153
Seal of Peng Ju 154
Zhong Chang 154
Seal of Peng Zuchang 154
Seal of Peng Shoushen 154
Zhong Gan 154
Zhong Shan 155

Seal of Zhong Zimei ········· 155
Seal of Xiao Tongci ········· 155
Xiao Shufang ········· 155
Shufang of the Xiaos ········· 155
Seal of Xiao Yaonan ········· 156
Qian Xuantong ········· 156
Seal of Qian Dajun ········· 156
Seal of Qian Chunqi ········· 156
Deng Yun ········· 156
Deng Dadao ········· 156
Deng Bingyuan ········· 157
Deng Yanlin ········· 157
Ma Xuezhu ········· 157
Seal of Ma Fuxiang ········· 157
Lan Biguang ········· 157
Seal of Lan Yaoqu ········· 157
Ge Qin ········· 158
Seal of Ge Xi ········· 158
Hanping ········· 158
Seal of Xiang Hanping ········· 158
(Of) the Hes of Tongcheng ········· 158
He Haibo ········· 159
Seal of He Jian ········· 159
Seal of He Peirong ········· 159
Seal of He Shaohan ········· 159
Seal of Xiong Kewu ········· 159
Shaoping ········· 159
Shaoping ········· 160
Cai Bin ········· 160
Seal of Cai Li ········· 160
Seal of Dan Maoxin ········· 160
Seal of Chang Zongwen ········· 160
Maoxin ········· 161
Seal of Chang Kunyi ········· 161
Tang Ze ········· 161
Seal of Tang Erhe ········· 161
Jing Chun ········· 161
Seal of Jing Jiying ········· 161
(Of) the Pans ········· 162
Seal of Pan Chenglu ········· 162
Seal of Pan Enyuan ········· 162
Seal of Wen Susong ········· 162
Seal of Qiu Zhenyu ········· 162
Seal of Zha Zhongfu ········· 162
Seal of Gu Zhenglun ········· 163
Seal of Tang Xianzhi ········· 163
Seal of Bao Boxiang ········· 163
Seal of Liu Deyuan ········· 163
Seal of Gu Yiyan ········· 163
Seal of Rao Yingming ········· 163
Seal of Jiang Shuwen ········· 164
Seal of Liang Qichao ········· 164
(Of) the Hes of Zhenhai ········· 164
Seal of He Fuquan ········· 164
Seal of Fu Dingyi ········· 164
Seal of Lu Ju'en ········· 164
Seal of Qiao Yinghuang ········· 165
Seal of Lei Enting ········· 165
Seal of Long Wenzhi ········· 165
Seal of Yan Litian ········· 165
Seal of Seng Shaozhen ········· 165
Boshi of the Tians ········· 165
Seal of Xiong Foxi ········· 166
Yu Feng ········· 166
Pang Zi ········· 166
Jin San (The third of the Jin brothers) ········· 166
Seal of Jin Cheng ········· 166
Su Feng ········· 166
Zong Fan ········· 167
Wan Li ········· 167
Kuang Pei ········· 167
Private seal of Jing Hua ········· 167
Liao Heng ········· 167
Zheng Ying ········· 167
Sheng Qi, the seventh of the Sheng brothers of Shanhua ········· 168
(Of) the Jias of Zhaohua ········· 168
Jia Zhu ········· 168
Song Zhenqu ········· 168
Ji Juliang ········· 168
Seal of Yao Yingzhao ········· 168
Niu Lingxian ········· 169
Lu ········· 169
Lu ········· 169
Lu Guangzhao ········· 169
Guan Zhesheng ········· 169
Xianyu Ying ········· 169
Han Zexin ········· 170
Sa Lidi ········· 170
Ji Duanfu ········· 170
Jiang Nailin ········· 170
Seal of Ruiguang ········· 170
Seal of Yaoren ········· 170
Seal of Fu Lin ········· 171
Seal of Deling ········· 171
Seal of Ling Bai ········· 171
Hou Tongfu ········· 171

Jian Changma ······ 171
Shuai Mingchu ······ 171
Jie Sunfu ······ 172
Chu Tianyi ······ 172
Min Luozhang ······ 172
Xian Zhongzhou ······ 172
A Luoba ······ 172
Ke Luoduo ······ 172
Jixi ······ 173
Shiyu ······ 173
Peifen ······ 173
Sha Ou ······ 173
Yangmo ······ 173
Ji Wu ······ 174
Signet of Daozhao ······ 174
Notepapers of Zai Xun ······ 174
Tingwu ······ 174
Zhi Qing ······ 174
Tie Sheng ······ 174
Cheng Wu ······ 175
Zi Hong ······ 175
Fan. Zi (dihedral seal) ······ 175
Xing Ren ······ 175
Zhu Sheng ······ 175
Gong Yu ······ 176
Gong Fu ······ 176
Shi Nong ······ 176
Shi Zhou ······ 176
Shi Nian ······ 176
Yu Cheng ······ 176
Jing Yu ······ 177
Fu Hang ······ 177
Zhuo E ······ 177
Binfu ······ 177
Zhen Zhong ······ 177
Binfu ······ 177
Xiangxian ······ 178
Zhi Fu ······ 178
Ru Liu ······ 178
Zejing ······ 178
Yushan ······ 178
Sheshan ······ 178
Qinsun ······ 179
Hun Yi ······ 179
Yang Guang ······ 179
Mo San (The Third of the Mo brothers) ······ 179
Mo Shou ······ 179
Zhi Zhi ······ 179
Chengzhi ······ 180
Ji Gao ······ 180
Cang Yuan ······ 180
Zhenfu ······ 180
Yongqi ······ 180
Xunqin ······ 180
Kesun ······ 181
Bifan ······ 181
Chao Wen ······ 181
Wen Fu ······ 181
Wen Fu ······ 181
Wen Yuan ······ 181
Wen Qin ······ 182
Hong Juan ······ 182
Huiyu ······ 182
Shoushi ······ 182
Shi Ming ······ 182
Chao Cang ······ 182
Zhichu ······ 183
Kongshan ······ 183
Kongseng ······ 183
Shang Shi ······ 183
Hefu ······ 183
Bicheng ······ 183
Haoyi ······ 184
Hu Gong ······ 184
Gui Fu ······ 184
Xing Heng ······ 184
Meng Ke ······ 184
Gouzi (Dog) ······ 184
Weijun ······ 185
Zhiqing ······ 185
Aishi ······ 185
Ye Cheng ······ 185
Zhuming ······ 185
Zhuqiao ······ 185
Qinan ······ 186
Qing Ping ······ 186
Nong Mu ······ 186
Shen Bo ······ 186
Chuntang ······ 186
Zi He ······ 186
Zi Nan ······ 187
Zi Qiao ······ 187
Zhong Ming ······ 187
Zhong Hua ······ 187
Zhong Shi ······ 187
Zhong Fang ······ 187
Zhong Wen ······ 188

Zhong Guang ······ 188
Zhong Ru ······ 188
Yuweng (Rainman) ······ 188
Juesheng (Buddhi - life) ······ 188
Dan Shan ······ 188
Shi An (Stone peace) ······ 189
Fuwan ······ 189
Tie Seng (Iron monk) ······ 189
Lian Sheng (Lotus - born) ······ 189
Ju Zheng ······ 189
Weiyi ······ 190
Si An ······ 190
Si Wei ······ 190
Ke Ting ······ 190
Ke Ting ······ 190
Xuanpu ······ 190
Zijia ······ 191
Zijia ······ 191
Ziyu ······ 191
Feidi ······ 191
Yajie ······ 191
Yuan Jue (Full Buddhi) ······ 192
Lingshan ······ 192
Lang Fu ······ 192
Yuan Jing (Full Visuddhi) ······ 192
Zuibai ······ 192
Yuan Jing (Full Visuddhi) ······ 193
Zhouxu ······ 193
Gui Yan ······ 193
Ziqian ······ 193
Ruoheng ······ 193
Ruoheng ······ 193
Dayu (Big Feather) ······ 194
Liqiao (Bamboo - hat Woodsman) ······ 194
Yun Mei (Melody Brow) ······ 194
Hua Min (Flower Man) ······ 194
Biao Cen (Tiger Hill) ······ 194
Lanyu (Misty Rain) ······ 194
Yu Yan (Rain Rock) ······ 195
Yan Fu ······ 195
Song Nian ······ 195
Zhi Cheng ······ 195
Mengqin ······ 195
Yucheng ······ 195
Ji Shang ······ 196
Shaowu ······ 196
Jianming ······ 196
Mingxiang ······ 196
Yuqiao (Taro Woodsman) ······ 196
Lianfang ······ 196
Gusha ······ 197
Hai Ling ······ 197
Ling Yun ······ 197
Qiu Shi ······ 197
He Xiu ······ 197
Haoweng (Bold - man) ······ 197
Jilang ······ 198
Zhan Sun ······ 198
Manyun ······ 198
Xianzhi ······ 198
Lingming ······ 198
Mingxun ······ 198
Junxiang ······ 199
Tingrui ······ 199
Meng Zheng ······ 199
Xiaochen ······ 199
Qianchen ······ 199
Shidu ······ 199
Zengxiang ······ 200
Qianzhong ······ 200
Shou Xi ······ 200
Yun Ting ······ 200
Yun Sou ······ 200
Shou Xi ······ 200
Yun Gao ······ 201
Shiping ······ 201
Yun Xian ······ 201
Yan Shan ······ 201
Cang Feng ······ 201
Xu Quan ······ 201
Jugong ······ 202
Huatang ······ 202
Fanlao ······ 202
Hua Zhang ······ 202
Youchen ······ 202
Feng Ting ······ 202
Da Yun ······ 203
Cheng Yuan ······ 203
Jia Ming ······ 203
Yong Wu ······ 203
Peisheng ······ 203
Rong Tang ······ 203
Mu Tao ······ 204
Mu Yin ······ 204
Feng Shan ······ 204
Yinqing ······ 204
Zhong Qin ······ 204
Dan Yu ······ 204

Seal of Hong Cheng ··· 205
Fair, Worthy, Versed, Careful ··· 205
Easy－use name Delin ··· 205
Seal of Qigong ··· 205
Seal of Baocheng ··· 205
Seal of Nanpu ··· 205
Seal of Zekuan ··· 206
Seal of Lifu of Zhitan ··· 206
Private seal of Xiyu ··· 206
Chengbo in longevity ··· 206
Zunshi in longevity ··· 206
Jizhong in longevity ··· 206
Bin Qi in longevity ··· 207
Yuling in longevity ··· 207
Mo Yuan ··· 207
Mo Yuan in longevity ··· 207
Mo Yuan in longevity ··· 207
Jinfan in longevity ··· 207
Tu Biju ··· 208
Laiyuan, or Yorizono ··· 208
Ci Hua in longevity ··· 208
Zheng Xiu, or Seishu ··· 208
Laiyuan, or Yorizona ··· 208
Fu Gang, or Fukuoka ··· 208
Yunshan in longevity ··· 208
Jingchuan, or Shizukawa ··· 209
Yangyuan, or Inuhara ··· 209
Xinjing, or Arai ··· 209
Yidong, or Itou ··· 209
Baiqi, or Hyakuzaki ··· 209
Baiqi Chenxiong, or Hyakuzaki Tatsuo ··· 209
Long Meiyuan, or Riu Baien ··· 210
(Of)the Wuneis, or (of) the Takewuchi ··· 210
Tianxiao, or Dentaka ··· 210
Tianba, or Denhachi ··· 210
Seal of Xiaotian, or Oda ··· 210
Yuanbalang, or Genhchirou ··· 210
Jiabingshi, or Kaheian ··· 211
Seal of the Jintengs, or the Kondoushi ··· 211
Jinjing Qing, or Kanai Kiyoshi ··· 211
Tengyuan Zhengwen, or Fujiwara Wasafumi ··· 211
Zhisong Leixian, or Wuematsu Ruisen ··· 211
Zhetian Cuicun, or Orita Suison ··· 211
Seal of Weixing Qing, or Ogata Kiyoshi ··· 211
Anyan Yingsan, or Yasuhiki Eizou ··· 212
Tengshi Chouping, or Fujishi Rotoshitsubo ··· 212
Zhengben Zhiyan, or Masamoto Naohiko ··· 212
Yiduan Suping, or Yasubata Souhei ··· 212
Guanglai Zhigan, or Hirose Chokusen ··· 212
Neijue Weiwen, or Uchihori Tsugufumi ··· 213
Daye Xiangjin, or Ooji Shoukin ··· 213
Xiaochuan Pingji, or Ogawa Heikichi ··· 213
Jintian Xiurong, or Tsuda Shuei ··· 213
Seal of Yekou Yong, or Noguchi Yuu ··· 213
Seal of Chiye Jian, or Ikeno Ken ··· 214
Seal of Shan Dunji, or Yama Atsuyoshi ··· 214
Chaishan Jiansilang, or Shibayama Kenshirou ··· 214
Xiaoshi Cuiyun, or Komuro Suiun ··· 214
Seal of Ying Xiong, or Ei Yuu ··· 214
Cuiyun, or Suiun ··· 214
Liuchuan, or Yanagawa ··· 215
Cuiyun, or Suiun ··· 215
Pingzhu, or Heisuke ··· 215
Seal of Xiaoshi Zhen, or Komuro Sada ··· 215
Chaishan Jiansilang, or Shibayama Kenshirou ··· 216
Seal of Hetian Zhenxiu, or Wada Seishu ··· 216
Xishi, or Saishi ··· 216
Zhunei Xifeng, or Takeuchi Seihou ··· 216
Xifeng, or Seihou ··· 216
Xifeng, or Seihou ··· 217
Xifeng, or Seihou ··· 217
Xifeng, or Seihou ··· 217
Xifeng, or Seihou ··· 217
Xifeng, or Seihou ··· 217
Xifeng, or Seihou ··· 217
Xifeng, or Seihou ··· 218
Chrysanthemum－yard Academy ··· 218
Xifeng, or Seihou ··· 218
Xifeng, or Seihou in longevity ··· 218
Lan Feng ··· 218
Saddharma Treasure ··· 218
Zhunei Books, or Takeuchi Bunko ··· 219
Zhunei Books, or Takeuchi Bunko ··· 219
Delight－in－Stone House ··· 219
Xifeng, or Seihou ··· 219
Seclusion in the valley ··· 219

Time was and time is ········ 219

Part III Seals for Others to Use

House or Mansion Names, Ornamental Words, and Lucky Phrases

Bathed in eupatory water and frangrant flowers ········ 221
Tiger ········ 221
Lord Tiger ········ 221
Lord Tiger ········ 221
Hu Sheng (Tiger man) ········ 221
Hu Shengfu (Tiger man's father) ········ 221
Xianzhi (Retirement) ········ 221
Xianzhi (Retirement) ········ 222
Xianzhi Weng (The aged man in retirement) ········ 222
Xianzhi Weng (The aged man in retirement) ········ 222
Ah Pa (One who fears) ········ 222
Baixin Weng (The aged man of pure heart) ········ 222
Baixin Weng (The aged man of pure heart) ········ 222
Ah Pa (One who fears) ········ 223
Ah Pa (One who fears) ········ 223
Descendants of Dieshan ········ 223
Feather dress from native country ········ 223
Ancient hundred-mile fish ········ 223
Dun Sou ········ 223
Also called Dun Sou ········ 224
Also called Qiantie (Black Iron) ········ 224
Zu An (Ancestral Hut) ········ 224
Zhimo Jushi (Gahapati who knows of silence) ········ 224
Shantai Jushi (Gahapati of mountain-terrace) ········ 224
Seal Slave ········ 225
Stone addict ········ 225
Seclusion Hut ········ 225
Seclusion Hut ········ 225
Cold Hut ········ 225
Cold Hut ········ 225
Ice Hut ········ 226
Silence Hut ········ 226
Grace Hut ········ 226
Hut recluse ········ 226
Lao Xue (Ancient Snow) ········ 226
Yisu Weng (One-millet man) ········ 226
Yisu Weng (One-millet man) ········ 227
Xue An (Snow hut) ········ 227
Xue Toutuo (Snow Dhuta) ········ 227
Elder of Osmanthus Lake ········ 227
Native of Taicang ········ 227
Seal of Daozhao. Native of Mt. Hengshan (dihedral) ········ 228
Native of Mt. Hengshan ········ 228
Mt. Hengshan ········ 228
Mt. Hengshan ········ 228
Guna Gahapati ········ 228
Five wits of Yuzhang ········ 228
Guna Gahapati ········ 229
Native of Ancient Longbiao (County) ········ 229
Banyan, or Measure (of music) ········ 229
Banyan, or Measure (of music) ········ 229
Bookworm on army horseback ········ 230
Owner of Sijian Building ········ 230
Owner of Yanyun Mount House ········ 230
Lord of Cuiming Mountain Manor ········ 230
Lord of Zhi Manor ········ 230
Lord of Erzhuang Mansion ········ 231
Lord of Pingyuan Garden ········ 231
Owner of Fortitude Hut ········ 231
Lord of Xingyu Mansion ········ 231
Lord of Frangrant-Snow Manor ········ 231
Lord of Cloud Pavilion ········ 231
Countryman of Crane Hut ········ 232
Solitary traveller of White Wood ········ 232
Lord of Peach-Shade Mansion ········ 232
Gahapati of Kindness Garden ········ 232
Gahapati of Haixi (County) ········ 232
Gahapati of Concealed Peak ········ 232
Iron Horse Taoist ········ 233
Scholar of Jiangyin (County) ········ 233
Lady scholar of right side of Mt Long ········ 233
Woodsman of Heming (Crane-Song Mountain) ········ 233
Woodsman of Dongling (Winter Ridge) ········ 233
Deputy keeper of state papers ········ 233
Instructor of Zhanglin (Camphor Wood) ········ 234
Mountain monk of ancient temple ········ 234
Angler-recluse of Tanzhou (Prefecture) ········ 234
Farmer of Mt. Changbai ········ 234
Mountaineer of Mt Tianzhu ········ 234
Owner of Sparrow Hut ········ 234

Recluse of Mt Wanyun 235
Villager from beyond the horizon 235
Angler from yellow mud 235
Traveller in Mt Weishan 235
Old man of heavenly grace 235
Old man in borrowed years 235
Descendants of Fanshan 236
Old man who is happy all times 236
Lord of Pippalayana Mansion 236
Enlightenment Pavilion 236
Arts Hut 236
Chastity Hut 236
Catalpa Garden 237
Curve Garden 237
Sand Garden 237
Friend Stone 237
Plough Stone 237
Farmer on inkstone field 237
Old man of instone 238
Visitor from Xianyang 238
Gahapati of inkstone - sea 238
Old man returning to the farm 238
Passer - by of swordsgate 239
Stone addict. Youth from Wuling (dihedral) 239
Chang'anese as stone addict on the seas. Visitor from Xianyang (dihedral) 239
Stone - dependant 239
Rich man of sixty white stone seals 240
(Of) the ancient Wos 240
Commoner of Nanyang 240
Trifold Modesty Hall 240
Sramana of Beicheng 240
Woodsman within mountain cloud 241
Five - fold Happiness Hall 241
Trifold Bliss Hall 241
Five - Mineral Hall. Rotten tree allows no bending (dihedral) 241
Classic - Digging Hall 241
Trifold Cognition Hall 242
Ice - Carving Hall 242
Infance - Nurturing Hall 242
Infance - Nurturing Hall 242
North Hall 242
Ice - Carving Hall 242
Pianzu (Feet Succession) Hall 243
Mingde (Guna Imprinting) Hall 243
Brush House in Mt. Dongshan 243
Filial Piety & Friendship Hall 243
Brush House in Mt. Dongshan 243
Brush House in Mt. Dongshan 244
Seal of Charity & Protection Hall 244
Plum - Blossom Brush House 244
Plum - Blossom Brush House 244
Plum - Blossom Brush House 244
Plum - Blossom Brush House 245
Seal of Ignorance - Imitating House 245
Doushu (Dipper - Rinse) House 245
Plum - Blossom Brush House 245
Silent - Poetry Workshop 245
Orchid Cloud Studio 246
Dingyuan Studio 246
Danjing (Simplicity & Tranquility) Studio 246
Dream - Poetry Studio 246
Qianhuan (Slight Joy Studio) 246
Dream - Review Studio 246
Retirement & Comfort Studio 247
Study - Labour Library 247
Simplicity - Nurturing Studio 247
Jin (Advancement) Studio 247
Yi (Exotic) Studio 247
Half - Tile Studio 247
Three - Inkstone Studio 248
Shenjue Inkstone Studio 248
Huanglong Inkstone Studio 248
Yangjia Inkstone Studio 248
Baiyishuo Inkstone Studio 248
Tastefulness & Tastelessness Studio 248
Ancient - Wind - Present - Rain Mansion 249
Yuzhi (Jade - Ganoderma) Mansion 249
Bamboo - Shade Mansion 249
Green - Jade Mansion 249
Night - Snow Poetry Workshop 249
What's - What Hut 249
Pacific - Flower Mansion 250
Introspection Hut 250
Broom Hut 250
Eruditition Hut 250
Radiance Pavilion 250
Willow - Shade Pavilion 251
Rich - Shade Pavilion 251
Seal of Wuhuai (Mindlessness) Pavilion 251
Spirits Hut 251
Self - Greening Pavilion 251
Stone & Ink House 251

White - Cloud House ··· 252
Bamboo Pavilion ··· 252
Liuhua (Flower - Preservation) Cave ··· 252
Liuhua (Flower - Preservation) Cave ··· 252
Fowl - Flight Building ··· 252
Sunset - Glow Building ··· 252
Frozen - Cloud Building ··· 253
Sijian Building ··· 253
Landscape Building ··· 253
Zhuji (Self - Constructing) Building ··· 253
Playwriting Building ··· 253
Canghai (Blue - Sea) Building ··· 253
Half - Deaf Building ··· 254
Petrel Building ··· 254
Tranquility & Longevity Manor ··· 254
Stone - Gathering Building ··· 254
Stone - Gathering Building ··· 254
Huhai (Lake - and - Sea) Reading Building ··· 255
One - Millet Mountain - House ··· 255
One - Millet Mountain - House ··· 255
One - Millet Mountain - House ··· 255
One - Millet Mountain - House ··· 255
Mid - Glow Mountain House ··· 256
Mid - Glow Hut ··· 256
Moon - White Manor ··· 256
One - Hearted - Twin - Orchid Mansion ··· 256
Work in eight - tenths style by Hu Gong ··· 256
Work by Hu Gong ··· 256
Work by Zhimen (Bliss School) ··· 257
Calligraphical exercises of Ping Zhai (Bottle Mansion) ··· 257
Work of Naigong of fifty ··· 257
Seal - Copy by Bottle - Man (Pingshi) ··· 257
Spontaneous Verse by Zhi Yi ··· 257
House of Guanping (Bottle - Observation) ··· 257
Record of reading in Bottle - Observation House ··· 258
Note of writing of Ping Zhai (Bottle Mansion) after thirty ··· 258
Composition of Xia Shoutian ··· 258
Work of Shoutian after sixty ··· 258
Sutra copied by Gains Gahapati ··· 258
Proofreading by Ren Qing ··· 259
Ci - and - fu - poetry by Yaweng (Erudite Old Man) ··· 259
Fore - and afterwords by Yaweng (Mute man) ··· 259
Share with Maid Zhigeng ··· 259
Painting of Little Ding ··· 259
Inkwork of Xu Po ··· 259
Ink play ··· 260
Ill - wrought painting ··· 260
Unversed in calligraphy ··· 260
Written by Jizhan ··· 260
Inkwork of Li ··· 260
Ink play of Jizhan ··· 261
Delight of Jizhan ··· 261
Ink play of Jizhan ··· 261
Family manner of the Lis ··· 261
Inkwork immortal ··· 262
Name me as Pu ··· 262
Painting by Ling Wen ··· 262
Painting by Cuo Gong after fourty ··· 262
Handwriting and painting of Songqiao ··· 262
Handwriting and painting of Junyu ··· 262
Handwriting and painting of Jianming ··· 263
Handwriting and painting of Zhan Nong ··· 263
Seal on handwritings of Dong Kui ··· 263
Inkwork of Ruogong ··· 263
Self - amusement of Ruogong ··· 263
Written by Zhong Guang after fourty ··· 263
Common brushwork with occassional suggestion of Shanren ··· 264
Seal on bronze - and - stone impressions, handwritings and paintings in the collection of Yang Tong ··· 264
Appreciation by Hu Gong ··· 264
Over where Hu Sheng was ··· 264
Once seen in Ping Zhai (Bottle Mansion) ··· 264
Jingbo looked over ··· 265
Sutra - Copying House of Bei Zhai (North Mansion) ··· 265
Edition of Qi Changbai ··· 265
Impressions from the Seal Building ··· 265
Respectful examination of Xie Yuan ··· 265
Jijin of the Xies delights in stone ··· 265
Seal on the authentic handwritings and paintings in the authenticated collection of Xie Yuan of Qianyang ··· 266
Seal on the impressions of bronze - and - stone inscriptions after the Qin and the Han Dynasties in the collection of Xie Yuan of Qianyang

…… 266
Seal on the impressions of the bronze – and – stone inscriptions in authentication and appreciation by Hu Sheng …… 266
Seal on the handwritings, and bronze – and – stone inscriptions in the inherited collection of Guo Renzhang of Xiangtan …… 266
Once in the collection of the Tiansui Pavilion of the Tans of Chaling …… 266
Seal of appreciation by Tan Zekai of Chaling …… 267
Bronze – and – stone inscriptions in the collection of Songqing Pavilion …… 267
Superior works in the collection of the Broom Hut …… 267
Impressions of bronze – and – stone inscriptions in the collection of Chen Shizeng …… 267
Seal on impressions of broken – monument inscriptions Zhi Yi reads …… 267
Seal on portraits Zhi Yi reads …… 267
Treasures of Ah Qian …… 268
In the collection of Peng Ju …… 268
In the collection of Guna Gahapati …… 268
Once in the collection of Ying (Nanmu – Root) Hut …… 268
Seal on the handwritings and paintings in the treasure collection of Feng Ting …… 268
In the treasure collection of One – Millet Mountain House …… 269
In the collection of Boqun …… 269
Zhuangfei feasting his eyes …… 269
Signet on bronze – and – stone inscriptions, handwritings, paintings in the collection of One – Millet Mountain House …… 269
Liu Guo feasting his eyes …… 269
Appreciation by Huixu …… 270
In the authenticated – collection of Huixu …… 270
Ji Chang looked over …… 270
In the family – collection of Erji …… 270
Authentication by Shuchang …… 270
In the authenticated collection of Wei Shan …… 271
Rubbings made by Taoyin …… 271
In the collection of Zhi Qian …… 271
Antiques of Ambitionlessness Pavilion …… 271
Bronze – and – stone works of Tong An (Through Hut) …… 271
In the authenticated collection of Zhi Yuan …… 271
In the authenticated collection of Jing Zhi …… 272
In the authenticated collection of Zhi Yuan …… 272
Library of Zhi Yuan …… 272
Signet on impressions of broken – monument inscriptions Zhi Yuan reads …… 272
Authentication by Yuqiao …… 272
Bronze – and – stone works of Zhisi …… 272
In the authenticated collection of Zhong Ru …… 273
Review by Zhong Qin …… 273
In the treasure collection of Tie Fu …… 273
In the treasure collection of the Wangs of Xingyi …… 273
Seal of the treasure collection of Shuangjia (Two – Beauty) Building …… 273
Seal of the treasure collection of Bai Shipo …… 273
Handwritings and paintings in the treasure collection of Jianming …… 274
Handwritings and paintings in the treasure collection of Jianming …… 274
Signet of the Cold Mountain Library …… 274
Library of Liuqiao …… 274
Library of Zhi He …… 274
Book Nest of Shi Hui …… 274
Library of Ding Cong …… 275
Library of Baiyuan …… 275
Seal of the library of Yinshizi …… 275
Seal of the library of Yu Zhongying …… 275
Seal of the library of Liu Shaofang …… 275
Library of the Guos …… 275
Authenticated …… 276
Seal of collection of Yayu …… 276
Three weapons in the collection of Yinqi …… 276
Appreciation by Zhiya …… 276
Hundreds of stones with five mirrors …… 276
The inherited only copies of the impressions of bronze – and – stone inscriptions in the collection of Stone – Gathering Building …… 277
Seal on the impressions of the inscriptions in the broken monuments of Zhou Yi of the Stone Classics of the Xiping Reign of the Han Dynasty in the treasure collection of Yinqi of the Wens of Pingxiang …… 277
Lucky …… 277

Luckiness 277
Thousands of years 277
Great longevity 278
Longevity 278
Man in longevity 278
Man in longevity 278
Man in longevity 278
Man in longevity 279
Prolonged yearning 279
Expression of yearning 279
Unyielding to the wintry weather 279
Standing in the wintry weather 279
River all red 280
Man outside the gate 280
Longevity with great fortune 280
Man outside the gate 280
Man of charming character 280
Great fortune 281
Longevity with great fortune 281
Openheartedness shines on people 281
Contentment produces words 281
Seek truth from facts 281
Brush and ink for pasttime 281
Dragons aspire and pheonixes gather 282
Winnowing of smogs and clouds 282
Regard Dao as the flower 282
Spring is declining 283
Simplicity and tranquility 283
Idle life with silent meditation 283
Adherence to the center 283
Progress in the middle of the road 283
Neutrality without inclination 283
Course of forgottenness 284
Course of neutralism 284
Course of forgottenness 284
Seclusion by streams with pebbles 294
Progress in ceaseless activity 284
Pioneering where the ancients were not 284
Emulate those better than oneself 285
There are square and round principles ... 285
Wind, flower, snow, moon 285
There are mountains beyond mountains 285
Idle appreciation by ci – poets. Clear as ice and pure as jade (dihedral) 286
Erection without inclination 286
There were ancients in precedence 286
Setting sun immeasurable 286
Obstinacy in winds and frosts 287
Gentle breeze with bright moon 287
Enterprise is ruined in frivalities 287
Predestined relation to bronze and stone 287
Freedom from conventional confinement 287
Happiness and longevity unlimited 288
Fragrant grass under the sun 288
Secret springs of nature present themselves 288
Treasure as such in the arms and under the head 288
Traveller under the sun 288
Spring colour in full bloom 289
Where aspiration leads 289
Ci – composition at the age of ten 289
Where aspiration leads 289
Mind travells on vast wilderness 290
Wind chants with moon in accompaniment 290
Simplicity and comfort 290
Past events left behind them traces 290
(Like) idle clouds and wild geese 290
Delight in a thing knows no boredom 291
(Like) idle clouds and wild geese 291
Appearance peculiar and ancient 291
(Deep) rooted habits unremoved 291
Mind in confluence with ancients 291
Paint bamboo to cure vulgarity 292
Inkpool free imagination 292
Round is encountered because of square ... 292
Freedom from care insures longevity 292
What a brief life of man 292
What's the use of yearning 292
What flower does not bloom 293
Ask the way from the stone 293
Bitterness weakened equals sweetness 293
Refinement as spring and snow 293
House as small as moon 293
Flowers unfold like the sea 293
Gracious charity relieves people 294
Greedlessness is the treasure 294
Black and white go with distinction 294
Antique fragrance with modern colour ... 294
Thawing ice is ice thawing 294
Kindman suffers 295
Jigu (adopting the ancients) 295
Sages have appearance of ignorance 295

Enthusiasm with chivalrous character …… 295
No removal of bodhi－citta ……………… 295
There is no residing without bamboo …… 296
How many sorrows can you contain …… 296
Forlorn ladies gentle and graceful yearn for men virtuous and talented ………………… 296
Doubt upon the ancient reality …………… 296
Tranquility ……………………………… 297
Promotion of farming …………………… 297
Buddha in mind …………………………… 297
Order of unbending will ………………… 297
Virtue sings loudly ……………………… 297
Poor without inherited enter prise, I dare not obtain the position of even a petty official ………………………………………… 297
Born one day before the Double Seventh ………………………………………… 297
Gentle－breeze idle－sitting ancient－pine ………………………………………… 298
Upstream current pours alone in windswept world ……………………………………… 298
Who understands that the scholar takes much pains to conduct himself in society ……… 298
Official－Recluse ………………………… 298
Travel by night …………………………… 298
Solitary boat ……………………………… 298
Vitality …………………………………… 299
Renying (The flower of manhood) ……… 299
Wunian (Mindlessness) ………………… 299
Wuchou (Sorrowlessness) ……………… 299
Junyang …………………………………… 299
Mountain Deity …………………………… 299
Mountain Sprite …………………………… 300
Fucang (Plant the multitude) …………… 300
Wuyan (Lady of no beauty) …………… 300
Bianyang ………………………………… 300
Gengyang ………………………………… 300
Yuefang (Moonlit boat) ………………… 300
Shaohou …………………………………… 301
Wuling (Five Ridges) …………………… 301
Zhonghe (Neutralization) ……………… 301
Tongzhi …………………………………… 301
Zhiwei (Knowledge of taste) …………… 301
Hanyu (Cold rain) ……………………… 301
Hanlin (Wintry wood) ………………… 302
Hanzhi (Wintry branch) ………………… 302
Shuangqiao (Double Bridges) …………… 302
Canghai (Blue sea) ……………………… 302
Sangzhou (Mulberry field) ……………… 302
Lanzhou …………………………………… 303
Meixin (Plum fragrance) ……………… 303
Lao Song (Old pine) …………………… 303
Meilan (Plum hedge) …………………… 303
Laocao (Old grass) ……………………… 303
Laolin (Old unicorn) …………………… 303
Siwan (Fourty thousand) ……………… 304
Hanyin (the Han Dynasty seal) ………… 304
Xinyin (Citta－mudra) ………………… 304
Zhenren (Immortal) …………………… 304
Yuweng (Angler) ………………………… 304
Zhenqu (Real amusement) ……………… 304
Ouhe (Spontaneous chorus) …………… 305
Ouyin (Spontaneous chanting) ………… 305
Luohong (Fallen flowers reds) ………… 305
Luohua (Fallen flowers) ……………… 305
Real excellence ………………………… 305
Latent charm …………………………… 306
Vividness ………………………………… 306
Dragon flight …………………………… 306
Effortlessness …………………………… 306
Visit to woodsman ……………………… 306
River expanse …………………………… 306
Cave－making …………………………… 306
Zun (Respect). Shou (Reception) (dihedral) ………………………………………… 307
Jingguan (Well gate) …………………… 307
Jingtang (Well pond) …………………… 307
Buddhist Hut …………………………… 307
Buddhist Cottage ………………………… 307
Fragrant purity ………………………… 308
The luxury of stone …………………… 308
Knoweldge of truth …………………… 308
Spontaneousness ………………………… 308
Ranklessness …………………………… 309
Idle pleasure …………………………… 309
Imitate bamboo ………………………… 309
Imitate bamboo ………………………… 309
Bamboo teacher and plum friend ……… 309
Imitate bamboo ………………………… 309
Keep the self …………………………… 309
No knowledge of the world …………… 310
Poverty leads not to death …………… 310
Manner of the ancients ………………… 310
Old bookworm …………………………… 310
Disaster－Survival Pavilion …………… 311
Bathed among pure flowers …………… 311
My will is strong ……………………… 311
Flowers are always beautiful ………… 311

For the people 311
For the people 312
Learn from workers and farmers 312
Brave in dare - nots 312
Swim in art 312
Three or two bamboos 312
Open up new vistas 313
New lotus - leaves 313
Apricot world 313
Sing for the sake of emotion 313
Imitate nature 314
Empty mind produces purity 314
Never seek to be in rows and lines 314
To cure disease is ease used 314
Fishing village with fishing household 314
Know not of the change of dynasties 314
A petty recluse in the mountains 315
Born and grown in White Sand 315
A lamed man is tiger - tail 315
With six reins in hand 315
Where mind is settled 315
Mind empty of official progress 315
Osmanthus trees in clusters 316
Unbending character with coarse talent 316
All creatures of duhkha and klesa 316
Tall bamboos make my hut 316
Great integrity stands the wintry weather 316
Sensitivity to subtleties 317
Zhuzhu baibai (Red and white characters) 317
Flower and grass sprites 317
To my contentment 317
A stop for the moment and time to be off 317
Principled emotion and vitalized ration 318
Thousands of huts of plum flowers 318
All in the mountain building 318
Guide the world and promote the people 318
Interests are not shallow 319
Painting for the sake of pleasure 319
It's not what it was 319
Petty man from Panyang 319
Nature fails in creativity 319
High spirits frustrated equal particles of dust 319
Blissful dreams upon rivers and lakes 320
Home upon the water of Yuanjiang River 320
Ardent love for the motherland 320
Unbridledness is nature 320
Drunkard of a small room 320
Woodcutting in mountains and fishing upon waters 321
All realities go as azure rivers 321
Flavour of farming households 321
Simplicity with innocence 321
Disdainful eyes under the azure sky 321
Ice and frost of great charms 322
Subtlety Hut with hundreds of seals 322
Five hundreds rare stones 322
Encounter is predestined 322
Eyes fixed upon each other know no boredom 323
Laugh that I was meant with stones 323
Inspiration in journey 323
Full expression of nature 323
Seafarer as bossom friend 324
Remaining laughter upon vulgar fashion 324
Remaining vulgarity is to be removed 324
My comprehensivenss 324
A mighty brush of Mr Bai Xin 324
Plums bloom with increasing fortune 325
Spirits heightened dismiss the vessel 325
Simplicity 325
I should have asked with surprise how many white hairs there were 325
Moonlight as ribbon ties people beyond thousands of miles 326
All except poetry in the floating world gain forced fames 326
I know not where openheartedness goes 326
Bricks and tiles of Weiyang make the best of their kinds 326
Home between Mount Longshan and River Gong 326
Home beside the Stone Lake where few feet tread 326
Home in the native country of Guifeng Peak 327
Home among gentle breezes and rains 327
Home in the depth of the pear blossoms of Yangzhou 327

Always slow for gatherings and eager for letters ······ 327
Willing to believe that I have the fame of an official – recluse ······ 327
Greatest pity is that fancy runs wild in your mind ······ 327
Windswept fragrance crossed the stone bridge overnight ······ 328
Of spirits and of enterprises ······ 328
Right in the spacious and peacefull bodhi – manda ······ 328
Vigorousness, sincerity and glory ······ 328
Beyond the superficial realities ······ 328
Household among tall bamboos on Mount Lianshan ······ 328
Household of letters of in the south of the capital ······ 329
Of no power to set the world right ······ 329
Great artifice is doomed to adversity ······ 329
It' s desired to engage from the household of golden luckiness ······ 329
Sages ever since delight therein ······ 329
Such is what is called literature ······ 330
Idle play in the world for fourty years ··· 330
Apricot flower in spring rain in the south ······ 330
Household with one copy of the Classic of Filial Devotion ······ 330
An angler seen everywhere on rivers and lakes ······ 330
It's not easy to crown the south ······ 330
Heightened suppression upon devils of twelve thousand ······ 331
Look back upon Chang'an ······ 331
Slavishness unknown brings self – despising ······ 331
Hunters in my way all turn out to be the hunted ······ 331
Spring glory finds full expression in apricot flowers ······ 331
Likenss in form is superficial ······ 332
Reckless spending of great money is the expression of full confidence ······ 332
Drunk of Yellow River, ate of Mount Songshan, and saw three springs and autumns off ······ 332
Hundreds of trees of pear – blossoms bloom upon one tree ······ 332
Flowing pure fragrance flooding the world ······ 332
Laborious where there is no distraction ······ 333
A review brings comfort. Old haunts unable to part (dihedral) ······ 333
Reckless spending of great money is the expression of full confidence ······ 333
Acting as the county sheriff of Leiyang and later of Fenghuang one thousand nine hundred and fifteen years ······ 333
Once a return to the self brought comfort and pleasure ······ 334
I have fine stones three thousand ······ 334
My paintings take no manners of masters ······ 334
Xiaohong is in early youthhood ······ 334
Fallen flowers are feelingless ······ 335
Shaoweng in self – adaption of fifty years ······ 335
Warm wind sweeps the willows and the day begins to get longer ······ 335
Imitate the erudition and unbridledness of Yuanming ······ 335
Green grass to the setting sun after rain ······ 335
Such flowers can be cooked. The bright moon in the prelife. Crimson complexion standing in snow. Why with suffering. throes (polyhedral) ······ 336
I collect writings of the Qin and the Han Dynasties. I read poetries of the Tang and the Song Dynasties. I treasure seals from the skilled hands of Xileng. I admire paintings from the eight masters of the Ming and the Qing Dynasties (polyhedral) ······ 336
Imitating Yuanming's erudition and unbridledness I can not reach him. copying Xiangyang' s stone – worship I can outdo him. Of the stone seals of hundreds of makers I have eight or nine tenths. of hand – products of the eight masters I have only one tenth (dihedral) ······ 337
Poplar willow spring wind banks greening. peach blossoms setting sun crimson gathering. thirty six ponds of autumn water crossed. the south is a hoary head revisiting (dihedral) ······ 337
Apricot blossoms fallen swallow mud fragrant. sleep disordering the pink complexion. in-

cense burner smokeless. dragon – and – pheonix scroll there. cloud locking in Xiaoxiang land. night cold penetrating the silk gown. immeasurably (dihedral) ········ 338
Rare stones crowding the cottage. fine seals gathered from hundreds of carvers. works by Mi Fei few in number. and the north room storing one Houzhu ··························· 338

INDEX

Seals ··· 2

齊白石的篆刻

齊白石的篆刻

羅隨祖

齊白石(一九五三年)

牽牛不飲洗耳水
(肖形印)

齊白石是中國近代在書畫、詩文和篆刻方面都享有聲譽的一位藝術家,也是一位勤奮刻苦,植根於民間沃土,自學成材,樸實多産而且長壽的藝術家。綜觀齊白石的藝術,篆刻是其很重要的一個組成部分。齊白石對於自己的成就,曾有過"詩第一,印第二,字第三,畫第四"[①]的評價,而很多人則持相反的評騭,如黄賓虹認為:"齊白石畫藝勝於書法,書法勝於篆刻,篆刻又勝於詩文。"[②]一般的社會心理認為,詩文與治印更能體現一個人的"學養"。齊白石是受這種社會心理影響而言之的。其在繪畫藝術上的成就,無疑確立了他在近代中國文化史上的地位;而篆刻與書法,不相伯仲,相輔相成,共同成就了他和諧統一,極具個性色彩的藝術面貌。

齊白石與許多篆刻名家相比,篆刻起步較晚,而作品前後變化很大,其在繼承文化傳統和獨立創造方面,經過師法衆家,臨摹仿效,辛勤探索,具有四個突出的特點:

一、齊白石藝術的積澱與成熟過程,是由民間藝人向文人畫家演變的過程,由此而決定了他在篆刻方面不斷地學習、臨仿、變化以至完善,直至衰年才形成自己的藝術風貌。

二、齊白石從未接受過正規的科班教育,故而較少地受"成法"的限制,在汲取傳統文化營養方面,能取前人之長,補己之短,而又不落他人窠臼。因無"師承"的羈絆,有利於形成自己個性鮮明的藝術。

三、齊白石早年做雕花木工,雖然篆刻起步較晚,但由於有手工藝基礎,腕力足,摹仿力强,加之勤奮,因此其成熟期的篆刻具有雄悍直率,不事雕琢的陽剛之美。

四、齊白石繪畫風格的變化與成熟,直接影響着他篆刻的審美取向,其篆刻不但與書畫基本上是同步發展的,而且在風格上也有高度的和諧性,這是其藝術的一個顯著特點。

齊白石的篆刻如果從其三十二歲開始計算[③],至九十五歲去世止,約有六十餘年的時間。在這六十年中,大致可以分為四個階段：

一、三十二歲至四十一歲,刻印啟蒙於黎松庵,仿摹丁黄的浙派,由此進入篆刻藝術的世界。

二、四十一歲至六十之前,弃丁黄而摹趙之謙,見《二金蝶堂印譜》,心追神往,亦步亦趨。

三、六十至七十之間,取漢隸碑的篆法,借趙的章法,努力擺脱摹仿,隨着"衰年變法"開創自己篆刻的面貌。

四、七十以後,又參以秦權量銘文的意趣,不斷錘煉,至八十歲達到高潮,最終完善了自己大刀闊斧、直率雄健的篆刻風格。

齊白石的篆刻還有重要的一點是,他從治印入手,未曾於《説文》和小學方面下過工夫,更未上溯到商周的金文,在這一點上,却與其詩文有某種"相通"點。他僅將篆書當作一種藝術化的字體,故而印文常不合於"六書"的篆體,甚至以僻字、俗字入印,自我作古,這在當時一方面是受《康熙字典》之影響,而另一方面正是齊白石個性强烈,將自然、天真的民間文化氣息帶入其篆刻創作的一個重要體現。

一、齊白石篆刻的源與流

齊白石對於自己是如何發蒙篆刻的,曾在三十四歲自述中敘述：

> 前二年,我在人家畫像,遇上了一個從長沙來的人,號稱篆刻名家,求他刻印的人很多,我也拿了一方壽山石,請他給我刻個名章。隔了幾天,我去問他刻好了没有,他把石頭還了給我,説:"磨磨平,再拿來刻!"我看這塊壽山石光滑平整,并没有什麼該磨的地方,既是他這麼説,我衹好磨了再拿去。他看也没看,隨手擱在一邊。又過了幾天,再去問他,仍舊把石頭扔還給我,説:"没有平,拿回去再磨磨!"我看他倨傲得厲害,好像看不起我這塊壽山石,也許連我這個人也不在他的眼中。我想,何必爲一方印章自討没趣。我氣忿忿之下,把石頭拿回來,當夜用修脚刀自己把它刻了。第二天一早,給那家主人看見,很誇獎地説:"比了這位長沙來的客人刻的,大有雅俗之分。"我雖覺得高興,但也自知,我何嘗懂得篆法刀法呢?我那時刻印還是一個門外漢,不敢在人前賣弄。(《白石老人自述》)

王闓運撰書齊白石手刻之墓志銘(一九一一年)

墓志銘局部

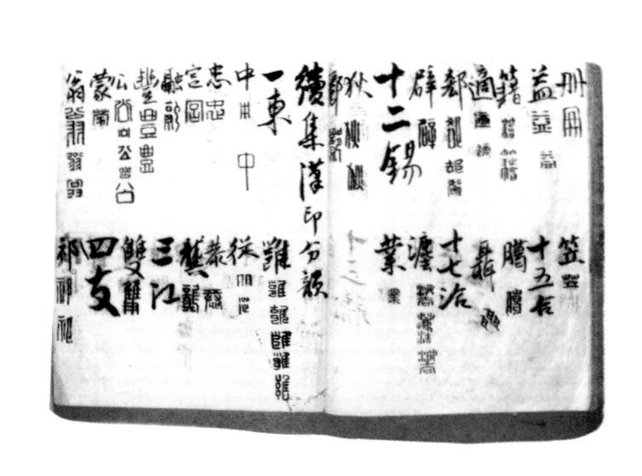

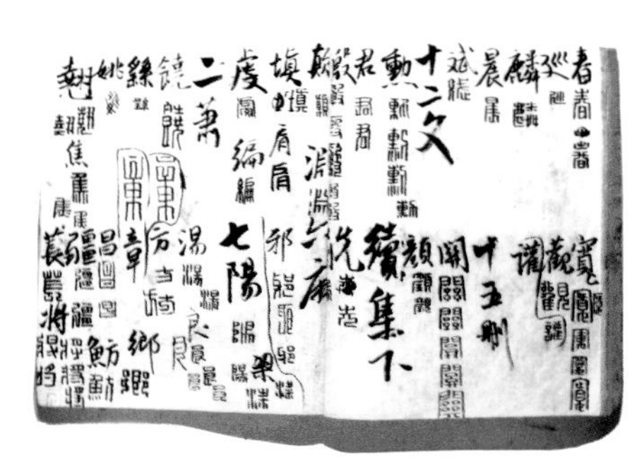

齊白石製漢印分韵

齊白石批孔才印

齊白石對自己的初始刻印的時間還有“始於二十歲以前”④的説法，但據齊白石的歷史來看，可以肯定的是在此以前，齊白石於篆刻并未深涉獵過。

黎松庵是齊白石的詩友，也是齊白石刻印真正的啟蒙者。黎松庵初贈給齊白石丁敬、黄易兩家刻印的照片，齊白石開始專擬丁黄之印。⑤

一八九八年，齊白石三十四歲（虚齡三十六歲）黎薇蓀又從四川寄來了丁黄的印譜。由此開闊了齊白石的眼界，研習愈發刻苦，後來齊白石在回憶這一段往事時，作詩云：

誰云春夢了無痕，印見丁黄始入門（自注：余初學刊印，無所師，松庵贈以丁黄真本照片）。今日羡君贏一著，兒爲博士父詩人（自注：松庵刊印，與余同學，其天資有勝於余，一日忽曰：刊印傷目，吾不爲也，看書作詩，以樂餘年）。

黎戩齋有《記白石翁》一文亦云：

家大人（黎薇蓀）自蜀檢寄西泠六家中之丁龍泓、黄小松兩派印影與翁摹之，翁刀法因素嫻操運，特爲矯健，非尋常人能所企及……翁之刻印，自胎息黎氏，從丁黄正軌脱出。初主疏密，後私淑趙撝叔，猶有奇氣，晚則軼乎規矩之外。

黎松庵之孫黎澤諭在《齊白石與黎松庵黎錦熙父子》中回憶説：

距當年（齊白石等人在我家）刻印，半個多世紀後的一天，父親拿出幾十方家藏的印章給我看，并對我説：“這裏面有些是齊白石老人和祖父等人，當年在咱們家初學刻印時的作品，白石刻的第一顆印章是‘金石癖’可惜已丢失了。”這些印章大多爲極普通的壽山石，形狀各异。……這些印章有的是名章，有的是閑章，所用字體行、楷、草、篆等，有的無邊款，有的有，其中白石刻的約有十來方，邊款上有的刻“仿某某，規範否”或“白石曾刻之”等字樣。

齊白石在三十多歲時，仿丁黃所刻的印章，譜中如湘潭陳自綿先生所藏“湘潭郭人漳世藏書籍金石字畫之印”款刻“齊璜刊”三字，朱文方印，是仿丁敬的。更有摹刻丁敬的兩方印，一方為“心無妄思”，另一方為“硯田農”，此兩印無邊款，臨仿十分相似，但轉折處稍柔滑，印風更覺豐滿一些，其後者在印文中將“農”字的寫法略作變更，二印石亦略大一些。

仿黃易的印亦有極好的範本，如此譜中所收録具有年款、最早的印章“一丘一壑自謂過之”，印側有用何紹基體刻的印文釋文，後署“丁酉秋”及刻畫朱文小印“齊氏金石”。丁酉為一八九七年，齊氏三十三歲(虛齡三十五歲)，此時齊氏在書法上正在臨仿何子貞書體。另有一方印是“我生無田食破硯”，印側有黎鰈庵的邊款云：

> 鈍叟有此印，寄老仿之，直得神似。近來以鐵書稱者，吾家松庵，鯀公而外，他人未許夢見斯種也。戊戌春，三鰈庵獲觀識此。

此印其實是仿黃易的。丁敬(鈍叟)無此印，而衹有一印“竹解心虛是我師”，風格與此印相類似。齊白石所刻的這一方印，與黃易的原作相比較，的確十分相像，但改略横長印為稍竪長印，由此字體反而顯得瘦長均稱，其用切刀的轉角處亦比原印稍圓潤，另有情趣。綜上二印可見，齊白石即使是臨仿前人，亦不為方寸形狀所限制。齊白石後來主張不為“印奴”，其在初入篆刻門徑時已有表現，由此亦可窺見其性格之一斑。

仿摹及取法丁黃的印，在印譜中還有“黃龍硯齋”、“身健窮愁不須耻”、“誦清閣所藏金石文字”、“黃金虛牝”等。這一時期，齊白石除取法浙派丁黃外，也曾試仿摹其他印人的風格，甚至視野超出浙派之外，如其所刻“哀窈窕思賢才”一印，就明顯地有何震的印風。這時他在家鄉所資參考學習的材料太少，眼界尚未打開。

有關齊白石鈎摹趙之謙《二金蝶堂印譜》事，他自己有不同的說法，最詳細的叙述是在其《雙鈎二金蝶堂印譜序》上說：

> 前朝庚午冬小住長沙，於茶陵譚大武齋中獲觀《二金蝶堂印譜》。余以墨鈎其最心佩者，越明年此原譜黎薇蓀借來皋山，余轉借歸借山館，以朱鈎之，觀者莫辨原拓鈎填也。且刊

齊白石仿丁敬刻湘潭郭人漳世藏書籍金石字畫之印

丁敬刻心無妄思

齊白石摹刻心無妄思

丁敬刻硯田農

齊白石摹刻硯田農

齊白石仿黃易刻一丘一壑自謂過之

黃易刻我生無田食破硯

齊白石摹刻我生無田食破硯

齊白石手書雙鈎二金蝶堂印譜序

一印，其文曰“撝叔印譜頻生雙鈎填朱之記”。迄今九年以來，重遊京師於廠肆所見撝叔印譜皆爲僞本。今夏六月，瀘江吕習恒以《二金蝶堂印譜》與觀，亦係真本，其印增减與譚大武所藏之本各不同衹有二三印而已。余令侍余遊者楚仲華以填朱法鈎之，又借《二金蝶堂印譜》，擇其圓折筆畫者亦鈎之，合爲一本，其印之篆畫之精微失之全無矣。白石後人欲師其法，祇可於章法篆法摹仿，不可以筆畫求之，善學者不待余言。

啟功在《記白石先生軼事》一文中亦叙及他見到齊白石用油竹紙摹《二金蝶堂印譜》和《芥子園畫譜》的事，趙之謙的單刀直切法，對齊白石篆刻的刀法影響甚大，而趙之謙的篆刻藝術比起丁敬、黄易，不但取材廣得多，而且有筆有墨，生動典雅，風神跌宕。⑥

齊白石對於趙之謙的篆刻藝術，在當時是心追神往的，即使是在其後，他自己的篆刻達到高峰期，他對於趙之謙的敬重仍然未減弱。齊白石在一九三八年為周鐵衡作印序時説：

齊白石手書半聾樓印草序

刻印者能變化而成大家，得天趣之渾成，别開蹊徑，而不失古碑之刻法，從來唯有趙撝叔(之謙)一人。予年已至四十五時，尚師《二金蝶堂印譜》，趙之朱文近娟秀，與白文篆法异，故予稍稍變爲剛健超縱，入刀不削不作，絶摹仿，惡整理，再觀古名碑刻法皆如是，苦工十年，自以爲刻印能矣。(題《半聾樓印草》序)

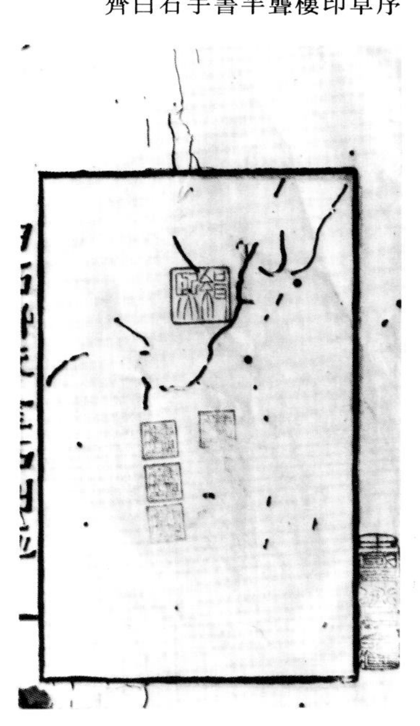

白石草衣金石刻畫内頁

這一段話，實際是他從摹仿到創作的自我回顧。齊白石摹仿趙之謙，從作品看有將近二十年。現存齊白石早期印譜中有一册《白石草衣金石刻畫》，内鈐四十四印，皆是初仿趙之謙的作品。言其“印奴”毫不過分，如“緝熙”、“頓叟”、“閑止翁”、“齊伯子”、“木居士記”、“名余曰璜字余曰頻生”等印。在這一册印譜中，還可以看到丁黄刻法的痕迹。另如稍後的作品“五十以後始學填詞記”、“北齋寫經龕”，具有年款的如一九一四年刻“樂石室”，一九一七年刻“曾藏茶陵譚氏天隨閣中”、“茶陵譚澤闓欣賞記”、“茶陵譚澤闓印”，一九一八年刻“苹翁嘆賞”、“苹翁管領字畫”筆畫兩端出尖，均稱圓潤，這都純是趙之謙的印風。還有一些如“瓶士學篆”、“月華如練長是人千里”、“觀瓶齋讀書記”、“白石草衣”、“視道如華”等印，皆未出趙氏窠臼。有些印中還可以看到同時期印人，如王石經、黃士陵的影子。

齊白石努力擺脱摹仿，自行創造，是他年近六十時才開始的。一九二一年齊白石五十七歲時，題陳曼生印拓時寫道：

> 刻印，其篆法别有天趣勝人者，唯秦漢人。秦漢人有過人處，全在不蠢，膽敢獨造，故能超出千古。余刻印不拘前人繩墨，而人以爲無所本。余常哀時人之蠢，不知秦漢人，人子也；吾儕，亦人子也。不思吾儕有獨到處，如令昔人見之，亦必欽佩。

此一番話，可以看作齊白石對自己變法的自信，也是他努力擺脱摹仿的動因。

齊白石在藝術上的變法，是與他結識陳師曾有着密不可分的關係。陳師曾對齊白石有知遇之恩，他不但鼓勵齊白石變法，而且為齊白石宣傳，最重要的是陳師曾通過荒木十畝、渡邊晨畝兩位日本畫家，將齊白石的作品介紹到日本，得到了日本人的喜愛和肯定。由此齊白石的畫名，首先是在海外傳播開來，改變了他到北京後受到的冷遇，齊白石曾動情地説："如果没有陳師曾的提携，我的畫名不會有今天。[7]"

陳師曾看到齊白石的篆刻仍緊隨在趙之謙嚴整而遒麗的印風中，曾明確指出齊白石的篆刻"縱横有餘，古樸不足"。又説"齊君印工而畫拙，皆有妙處難區分。"齊白石後來也曾對他的學生羅祥止説：

> 從前我同陳師曾論印，談得最投機，我們兩人的見解完全相同。一句話概括，初學刻印，應該先講篆法，次講章法，再次講刀法。篆法是刻印的根本，根本不明，章法、刀法就不能準確，即使刻得能够稍合規矩，品格仍是算不得高的。

這一段話其實也是齊白石的自我反思。

齊白石為求篆法的古樸，上溯漢隸，以《祀三公山碑》為法乳，《祀三公山碑》刻於東漢安帝元初四年（公元一一七年），其書體近方，在篆隸之間，直行縱勢，不拘成法。這正符合齊白石的性格，同時齊白石也急於變法，突破成規，自立面目。王森然曾記述齊白石明確告訴他説："從戊辰以後，我看了《三公山碑》才逐漸改變（書體）的。"戊辰年齊白石六十四歲。

〔漢〕祀三公山碑（局部）

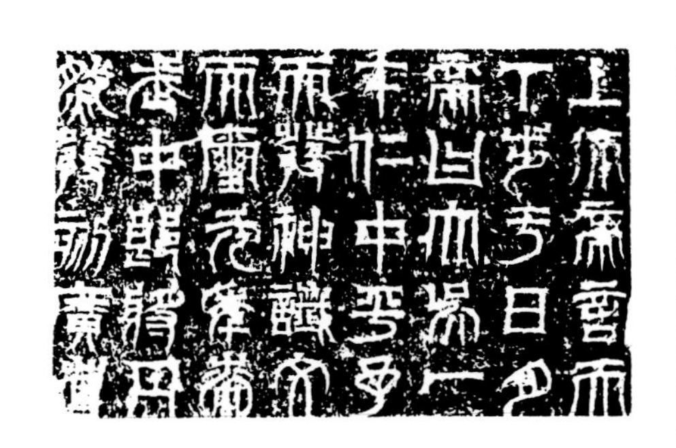

〔三國〕天發神讖碑(局部)

這一時期的齊白石主要以《祀三公山碑》的篆法，運用趙之謙治印的章法布局，以及參用《天發神讖碑》的刀法來刻印。這一時期的篆刻，白文印在數量上已有大量增加，齊白石成熟時期的風格漸次明顯。如刻於辛酉(一九二一年)的“老齊”，刻於第二年的“老齊印”，乙丑年(一九二五年)刻“木人”，白文印如戊辰(一九二八年)刻“借山館記”、“魯班門下”、“百樹梨花主人”等。這些印章已脱離趙之謙篆刻的模式，取向直率，表露了齊白石不善雕琢的性情。但距其七八十歲時期的作品，仍較為規範，未盡舒展，正是黎戩齋所謂“後私淑趙撝叔，猶有奇氣，晚則軼乎規矩之外”這之間的作品。

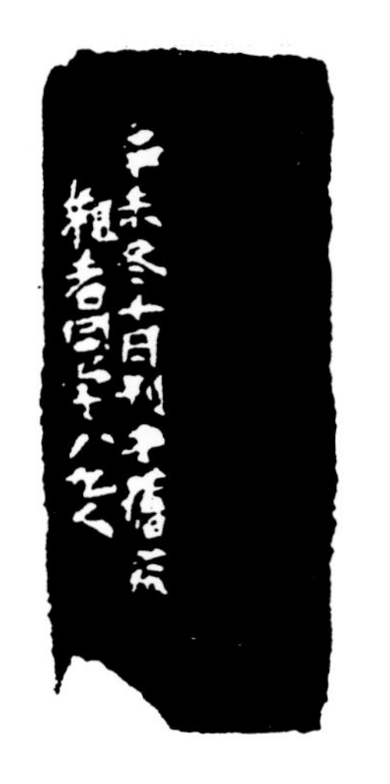

半聾

齊白石在一九三一年冬所刻的“半聾”一印，印側題款“辛未冬十月，刊於舊京，觀者同學八九人。”其言形於色是非常自得的，此印用衝刀刻成，印文書體已恣肆縱横，疏者疏，密者密，這是齊白石逐漸完成變法，漸次創出自己風格的得意之作。這時的印章章法舒展，氣勢縱横，特别是用刀的大刀闊斧，直往直來，是齊氏四十年的辛勤探索，經過了“夜長鐫印忘遲睡”的辛苦而得到的成果。

經過變法的齊白石已年近七十，但他并未因此而滿足止步不前。這時他又將秦漢權量銘文的篆法融入篆刻之中，將漢印中的將軍印，即所謂急就章的章法借鑒來，甚至仿其刻鑿匆促，綫劃若斷若連的樣子，形成一種自然的天趣，皆納入自己的印中。所以齊白石在回憶自己苦學的過程時説：

> 余之刻印始於二十歲以前，最初自刻名字印，友人黎松庵借以丁黄印譜原拓本，得其門徑，後數年得《二金蝶堂印譜》，方知老實爲正，疏密自然乃一變。再後喜《天發神讖碑》，刀法一變。再後喜《祀三公山碑》，篆法一變。最後喜秦漢，縱横平直，一任自然，又一大變。(《白石印草》跋)

吾奴視一人

老豈作鑼下獼猴

齊白石成熟期的篆刻作品，主要集中在七八十歲這一階段，這時期作品數量大，距今不遠，保存也較多。如一九三五年刻的“齊白石”、“苹翁”，一九三九年刻的“老白”、“七九衰翁”，一九四〇年刻的“吾年八十矣”、“八十歲應門者”等印。這些自用印都是齊白石的精心之作，最能代表其篆刻的風格。而閑文印中如“無君子不養小人”、“三千門客趙吴無”以至“詩字刻畫四無成”、“吾奴視一人”、“老豈作鑼下獼猴”都是他創立自家面目，篆刻漸次達到頂峰很具代表性的作品。這時的齊白石不但完全擺脱了臨仿，而且融會貫通，篆法變得多樣，能將周秦、六朝書體借入印中。如“八硯樓”一印是用漢魏“懸針篆”形式，取《天發神讖碑》刀法刻成。“戊午後以字行”是用先秦文字，而“以農器譜傳吾子孫”、“老手齊白石”兩印，不拘原有的框格刻法，有漢碑和刑徒磚的色彩，妙理新姿，出人意表，任憑馳騁。

齊白石在其成熟期曾就自己的篆刻説過：

> 予之刻印，少時即刻意古人篆法，然後即追求刻字之解意。不爲摹、作、削三字所害，虚擲精神。人譽之，一笑；人罵之，一笑。（《白石老人生平略記》）
>
> 做摹蝕削可愁人，與世相違我輩能，快劍斷蛟成死物，昆刀截玉露泥痕。（自注：古今人所刻石衹能蝕削，無知刻者，余故題此印存，以告世之來者。）（《題某生印存》詩）
>
> 世之俗人刻石，多有自言仿秦漢印，其實何曾得似萬一。余刻石，竊恐似秦漢印。（《批“祥止印草”》）
>
> 余刊印由秦權漢璽入手，苦心三十餘年，欲自成流派，願脱略秦漢，或能名家。（《齊白石手批師生印集》）

這些都是齊白石在篆刻藝術達到高峰時期，經過反復實踐、錘煉後總結出的體會與藝術主張。在實踐中齊白石也同樣力求變化和形式多樣，達到“我行我道，我有我法”大膽出機杼，一任自然的自由境界。

八硯樓

以農器譜傳吾子孫

老手齊白石

二、齊白石篆刻的風格特點

齊白石的篆刻在早期朱文多於白文，中期大約朱白參半，白文的數量有明顯地增加，成熟期多白文，以其成熟期的作品來分析，他對白文更能操運自如，更能以此表現出他的個性和特點。這一點是和他刻印的篆法、章法布局，更重要的是刀法的運用有關。齊白石刻印由於使用“單刀法”，刻白文印竪綫條左邊光而右邊毛，右邊因石質不同崩駁的效果亦有程度的不同，而横綫條則下邊光滑上邊毛糙。這種刻法所産生的視覺效果，在白文印中表現得十分自然而鮮明。而朱文印則有不同，雖然是同樣的刻法，但由於朱文印是將大部分石面刻掉，僅留有纖細的綫條，則不能使其筆畫由一刀刻出，要兩面刻，甚至在拐角處還要用“切刀”，這樣其天然之趣自然就减弱了許多。

柳川

平助

中國長沙湘潭人也

人長壽

試以一九三九年齊白石七十七歲(自稱七十九歲)高潮期,為柳川平助所刻的兩方印來分析,“柳川”一印,白文筆畫舒展,章法自然,綫條剛柔相濟。而“平助”一印,朱文則顯平直枯板,有過硬之嫌。齊白石在其成熟期亦曾說:“喜方硬,吾常有此刻法。”又說:“過於硬,余亦有此病。”這都是很深刻、很客觀、大膽的對自己的剖析。

再試比較白文“中國長沙湘潭人也”和朱文“人長壽”兩印,皆是齊白石的精心之作,前一印章法布局疏則愈疏密則愈密,單刀崩駁一任自然。而後一印,雖然舒展有力,但以均稱布局,相比較則不似前者任意,發揮稍覺單調刻板。故而齊白石曾就朱文與白文說:

> 余怕刻朱文,看此印弟亦有受苦之態,故古印衹有白文,可想古人亦怕也。(《齊白石手批師生印集》)

其實我們縱觀齊白石的篆刻,其早期至中晚期的不少朱文印亦很有特色。齊白石對自己的有些朱文印也是很自得的。如他曾在批《祥止印草》時說:

> 不知祥止者,但曰白石祥止之流不能刊細朱文字,知祥止者,但曰祥止之工刻,時流自以刊誇者,羞殺也。

齊白石刻的印章很多,印文內容可以分為幾類,如:自用印、為別人刻的姓名印、齋堂樓館室號印、閑文印等等,其中的姓名印最多。自用印及部分姓名印刻得最精,如在自用印中齊白石自稱:齊木人、木居士、魯班門下、齊大、老齊郎、湘上老農。有的自述身世:吾少清貧、身健窮愁不須耻、思持少年魚竿、嘆清平在中年過了、以農器譜傳吾子孫。有嘆苦經的:有衣飯之苦人、餘生老人、曾經灞橋風雪。有雄傲不羈的:不知有漢、我自疏狂异趣、老眼平生空四海。有謙遜禮讓的:詩書畫刻四無成、慚愧世人知、吾草木衆人也。還有仿摹前人的句子如:金農有“三百硯田富翁”,齊刻“三百石印富翁”;陳豫鍾有“繞屋梅花三十樹”,齊作“繞屋衡峰七十二”;石濤有“老夫也在皮毛類”,趙之謙有“恨不十年讀書”,齊白石也將其刻成自用印章。姓名印中更不乏各種人物,如:錢玄同、梁啟超、袁項城、袁崇焕、曹琨、胡漢民、張學良、蔣介石、陳果夫、張群、周作人、張道藩、郭有守;有藝術家:梅蘭芳、陳師曾、盧光照、黃君璧、張伯駒、尹瘦石、徐悲鴻、朱屺瞻;以及外國人:克羅多、竹内西鳳等等。齊白石的性格坦率,對為之刻過印的人從不諱言,盡收入自己的印譜中。

齊白石對於篆刻用字是精意取捨的,甚至自我創造。這與他在書法上的演變相一致。他在篆法上主要是取自《祀三公山碑》和秦權量銘文。他的篆書也就表現為參用隸法,行筆尚方,結體促上舒下,以此形成特色。《祀三公山碑》在書體上處於篆隸之間,在結構上仍是篆書。而秦漢權量銘文,正是篆體由盛而衰,一方面由美術化而走向僵化,另一方面因隸書的漸起,影響到篆體的省變,而更走向通俗化。漢代的金文也有形體近於隸書的。齊白石都吸取其營養。齊白石刻印用衝刀,以直綫硬折見長,而對稱多弧形筆畫的篆體自然不易出特色,使用參隸筆的字形,減少字體内的變化,甚至省變結構,自我作古。他的經意取捨重形式先於内容,字形易懂易識,雖不合成法,但可以“觀”勝不足,這才是齊白石篆刻上“衰年變法”的基礎。

齊白石在字形結構上注意平易近人,力避生僻的形體,適當而巧妙地利用一些隸法書體入印,在筆法上注意縱橫平直,弃某些結體的繁復,以適應他刀法和章法上的需要。如其所刻“中國長沙湘潭人也”、“人長壽”、“最工者愁”、“飽看西山”、“無聲詩室”、“魯班門下”等印中的“長”、“者”、“西”、“無”、“魯”字,都是隸楷書的寫法。而齊白石能將這些字與篆書放在一起而不嫌羼雜,足見他膽大過人之處。另外有些字,如“正本直彦”的“本”字,“散髮乘春風”的“風”字,“老萍有子”的“有”字,以及“屋”、“室”、“畫”等字,以及“萬庵梅花”的“萬”字,“天恩老人”的“恩”字,還有“身”字反畫,“齊”、“齋”不分等。雖是“自我作古”,但不能不説是其“病”了。

齊白石篆刻的許多作品都可以看到他在章法布局上的苦心經營,在齊白石的一些印款中也見到他的反復探索與實踐,如在“老白”一印兩邊款中刻道:“老白二字五磨五刻方成,此道之不易可知矣,白石翁七十九時”,齊白石在論及章法時曾説:“刻印主要在於配合篆字的章法,要使字個個舒展,自然氣勢縱横”。齊白石所擅長的是在不整齊中求統一的“亂石鋪階”的章法。齊白石的白文印因使用單刀刻法,筆畫必然不能豐滿,如果以均衡布局筆畫,則必然單薄孤弱,於是,他就反其道而行之,字與字、上與下或左右之間,有時保持一定距離,有時又將筆道連在一起,甚至於繁密之中粗細相間,虚實相涵,欹正相生。於疏朗當中,時用重刀鑿刻,使之凸顯,舒闊縱横,以白當朱。這都是齊白石將繪畫中的虚實、呼應原理,運用到篆刻上來的結果,這也是齊白石的篆刻總

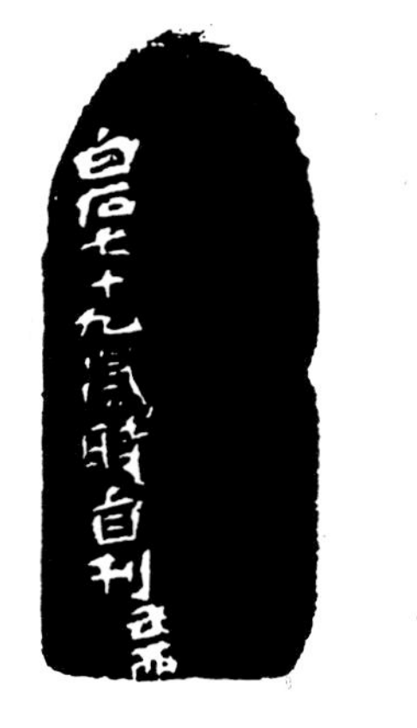

老白

老白

老白

老白

客中月光亦照家山

一擲千金渾是膽

有衣飯之苦人

能給人以新鮮感，章法常使人感到意外的地方，這都是他經過半生的刻苦實踐總結積纍的經驗。

試以齊白石"老白"一印分析，此印有三方，其不同處主要在"老"字的章法，而其中有款稱"五磨五刻方成"的一方主要是應用了呼應和挪讓的布局，使兩字筆畫顧盼有致。而"中國長沙湘潭人也"一印，在布局上有意使之"疏可走馬，密不容針"。"中"、"長"、"也"三字都緊上而虛下，沙字左緊而右松，有意使印面疏密參差，另外此印明顯在布局上重行氣，正是其"亂石鋪階"的範例。另如"吾狐也"、"三餘"、"蛩鳴無不平"、小朱文方印"人長壽"等印，在布局上都是經過精心策劃刻成的。還有一些即如"客中月光亦照家山"的"月"字，"一擲千金渾是膽"的"渾"字，"有衣飯之苦人"的"有"字，在一字之中的章法上，有意使方圓互用，在硬折筆中突用圓弧筆畫。這都是齊白石"膽敢獨造"的犯險精神。這些多能成功地收到意外的效果。

齊白石在章法布局上也存在一定的局限性，這主要是由於他在刻法上的單一，齊白石的篆法習慣於捨圓就方，而篆刻之妙正在於方圓互用，這不單單表現在綫條與綫條，字與字之間，而且也包括每一筆畫和綫條之中的寓圓於方。綫條的柔韌與彈性力度之美，是於和諧中爭難鬥險，措置衝突於平凡之中。其實齊白石也常常審視自己，并且能客觀地看待自己，這也是他讓人敬佩的地方。

啟功先生在一篇論書法的文章中曾說：

> 古人好以"茂密雄强"形容書風，於是有人提出"疏可走馬，密不通風"之喻，其實凡是有意的疏密，都會給人"作態"之感。(《沙孟海翰墨生涯》序)

這是一代學人的灼見。在章法布局上齊白石敢於犯險的優點，同時正潛伏着其不足之處，但這種不足，或祇是白玉微瑕而已。

齊白石刻印使用單刀，刻白文印自然單刀衝去，氣勢强悍，風格鮮明，而朱文則不可能一刀刻成，總要多刀重復刻一筆畫，而强悍的風格也就大打折扣了，所以在刀法上白文要更顯明，更直率，對於刀法，齊白石曾說："從古刻印未見能有刀法者，即古人無不削，不識何為刻也。"(《批"祥止印草"》)，齊白石所謂不削不作的刻，就是指他所使用單刀於石上衝鑿所形成的"純任自然"，一側整齊一側崩駁的單綫痕迹，這也是齊白石畢生辛苦探索形成的成就。故而他對其學生羅祥止說："大道縱橫，放膽行去”。這是他披盡甘苦的有得之秘，也是他的刀法真傳。

齊白石對於他自己刻印用刀的方法有詳細的叙述：

> 我刻印，同寫字一樣。寫字，下筆不重描。一刀下去，决不回刀。我的刻印，縱横各一刀，衹有兩個方向，不同一般人所刻的去一刀回一刀，縱横來回各一刀，要有四個方向。篆法高雅不高雅，刀法健全不健全，懂得刻印的人，自能看得明白。我刻時隨着字的筆勢，順刻下去，并不需要先在石上描上字形，才去下刀。我的刻印比較有勁，等於寫字有筆力，就在這一點。常見他人刻石來回盤旋費了很多時間，就算學得這一家那一家的，但衹學到了形似，把神韵都弄没了，貌合神離，僅能欺騙外行而已。他們這種刀法，衹能説是飾削，何曾是刻印。我常説，世間事貴痛快，何况篆刻是風雅事，豈是拖泥帶水做得好的呢！（《白石老人自述》）

以上這一段中齊白石叙述了他刻印的步驟和方法，于非闇曾記述齊白石刻印的過程：

> 老人刻印是用鋒利的單刀法，先把篆書寫在石上，然後再刻，有時寫了又擦去重寫，有時擦了寫、寫了擦到多少遍。本來寫在石上的篆字是反面字，老人還用一面鏡子去照，鏡裏的字就反映成正面字了。特别是每顆印的邊緣，老人都非常用心研究。老人刻好印，用印泥印出後，如自覺不滿意，還要磨去重新研究再刻。（《白石老人的藝術》）

啟功更詳細地叙述齊白石刻印經過：不但印文要查《六書通》等字書，還要用毛筆在印面上畫上反面的印文，再用小鏡子照，而且再用筆修改幾處才刻。刻完再用小鏡子照，修改，最後才鈐印出來。啟功因此説：

> 我自幼聽説過，刻印熟練的人，常把印面用墨塗滿，就用刀在墨面上刻字，如同用筆寫字一般……我在未見齊先生刻印前，我想象中必應是幼年聽到的那種刻法，又見到齊先生所刻的那種大刀闊斧的作風，更使我預料將會看到那種“鐵筆”

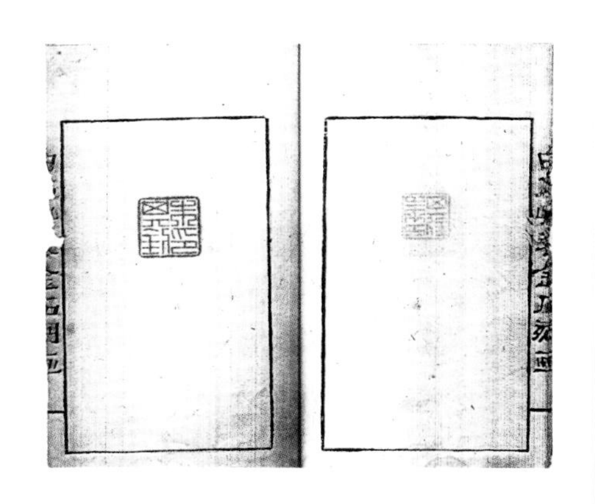

白石草衣金石刻畫內頁

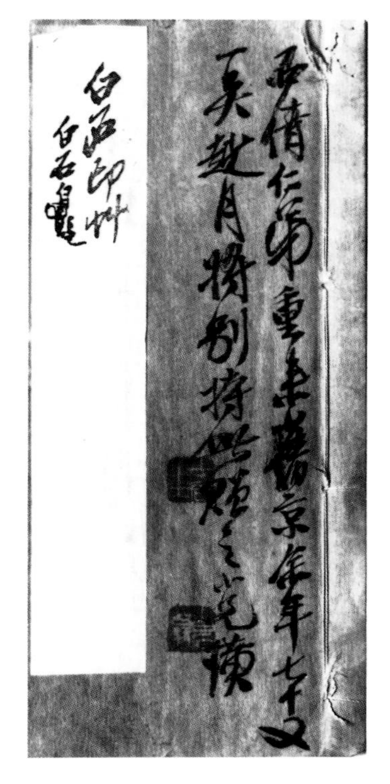

白石印草封面

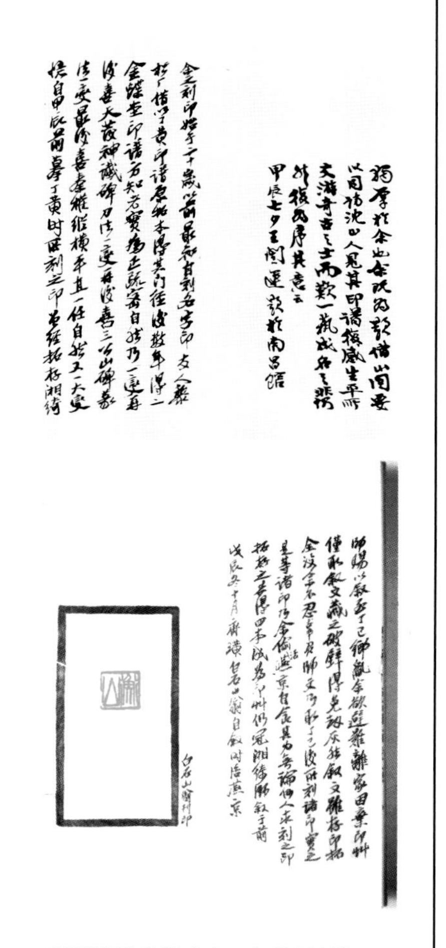

王闓運手書序文（一九〇四年）

齊白石手書序文（一九二八年）

在黑色石面上寫字的奇迹，誰知看到了，結果却完全兩樣，他那種小心的態度，反而使我失望……（《記齊白石先生軼事》）

于、啟兩位先生的敘述基本相同。由此又聯想到李可染敘及齊白石寫書法時，每一字反復斟酌，把紙叠了又叠，行筆很慢，有時寫了一半還要用竹尺在紙上橫量竪量："甚至想到老師做事有點笨拙"的情況，綜合起來，可知齊白石自述中的一些話，是他將自己能揮運自如、隨心所欲的一種理想，是自己能完成變法的自得而已。齊白石的刀法除了與他追求痛快和潑辣的性格有關係之外，還跟他的方折直筆為主的篆法密切相關。

齊白石的篆刻，歷來的評價毀譽參半。喜其雄肆直率、大刀闊斧的多所贊譽；而喜歡儒雅委婉的却嫌其霸悍；古文學者，諳於字學又對其無視成法、自我作古，不能滿意，斥為"野狐禪"。但齊白石能自樹一幟，在創作上敢於革新的精神，則是任何人都公認的。齊白石是一位藝術家，而且是一位從鄉土中走來，畢生為柴米辛勞，作畫刻印以養家室的人，他與趙之謙、吴昌碩甚至陳師曾等人，具有更多的不同，他没有那種優渥的環境根基條件，没有更多的儒雅和士大夫氣，所以，人們不能有過多的苛求。齊白石能以自己六十餘年的努力達到了這樣的高度，已足以令人們欽佩了。

三、有關印集的編輯情况

齊白石的印譜情况較復雜，歸納起來，可分為三種：一、齊白石自輯印譜；二、他人所選輯的印譜；三、齊白石作品集中輯入的部分篆刻作品。

齊白石自輯的印譜，確切有多少種，難以詳細統計，因這些印譜多是隨刻隨鈐，時加入部分舊刻，或以鋅版復製，鈐入印譜中。每種印譜鈐印數量不多（見《白石印草自序》之二）。齊白石自輯印譜還有一種現象，同一譜名、序文，甚至用紙相同，內容却不同。其早期的印譜是比較珍貴的，可據此研究其師法諸家的過程，但有些因年代久遠，已湮滅不可尋了。這一部分印譜多不見有明確的編排，內容重復較多，甚至一譜之中前後重鈐一印。譜內鈐印皆不拓存邊款，是最大的缺憾。

他人所輯選的印譜，都是齊白石去世後輯録的印譜，篇幅大，存印也多，印製精美，集一時之大成，是研究齊白石篆刻的重要資料，但其中個别譜中也有選録不嚴的弊端。最後一種印譜多是今人編排的齊氏作品集，甚至是展覽圖集，所録印章一般數量較少，有些是自書畫上翻拍下來的，也不見有嚴格的排列次序，但有些印不但附有邊款拓本，還附有印石之照片，可使讀者一覽無餘，足可稱道。

今次輯録之印譜，其來源主要有兩個方面：一是目前存世，可以搜尋到的各種印譜。二是全國各地博物館中的藏品，私人收藏的作品。

齊白石一生到底刻過多少方印，現也已無從稽考，但若據齊白石自述："余五十五歲後居京華，所刻之石，約三千餘方"（《白石印草自序》之二，時年七十一歲），那麼其一生所刻確實巨觀了，僅據目前的材料，及其子女的提供估計，亦有六七千方。這些印中大部分是應酬之作，也有一部分因其他原因，齊白石從未列入自己的印譜中，或留下鈐本。現在可以尋覓到的材料，不足這總數的二分之一。

此譜以篇幅所限，僅於所收集到的印拓中，擇録一八四七方。選録之重點在於自用印、早期篆刻作品和具邊款、印文較精者入之。其中除采自各博物館、私人收藏家手中由原石手拓之外，印譜中主要選自：《白石草衣金石刻畫》一函一册，《隨喜室集印初編》一函兩册，《白石印草》（三種），《齊白石印集》、《四大名家款印》（此兩種為香港翰墨軒提供），《中國篆刻叢刊·齊白石卷》（日本二玄社），《聚石樓藏印》（上海人民美術出版社），《齊白石印集》（書目文獻出版社），《齊白石印影》（北京榮寶齋）幾種。因以上印譜内容多有重復，在選用上以原石鈐印本，手拓邊款本和精拓本為主，在各譜采用的數量上，取前而捨後，個别有擇選不同譜録的鈐本配以邊款照片，以留其真。

此集的編排，主要分為三大部分：其一曰齊白石自用印，包括了姓名、别號、齋室、閑文印等，共約四百餘方。其二為姓名印，多是齊白石為他人所刻姓氏、名字等印，共録有八百方左右，數量最大，早中晚期都有，面貌不同，風格也各异。其三為齊白石為他人所刻之别號、齋室、鑒藏印及閑文、詩句印，録入六百多方，亦稱可觀。由此三部分印章之比例也可窺見齊白石刻印内容總體情況。在排序上并不嚴格按可知年代排序，以便於觀覽比較。

有關印文的釋文及隸定，由於其作品中有用僻字、通假字、甚至俗字或自造之字，將其中一些不宜書寫或辨識的，已隸定為常用字。如"唫"、"訡"作"吟"；"槑"、"堀"、"襟"、"玅"、"薗"、"卍"、"画"、"丽"字作：梅、崛、襟、妙、園、萬、畫、麗；"厂"、"弇""盦"、"庵"等字除不便統一外，均以"庵"字代之。但"台"與"臺"，"无"與"無"，"蘋"與"苹等字為便於

隨喜室集印初編封面

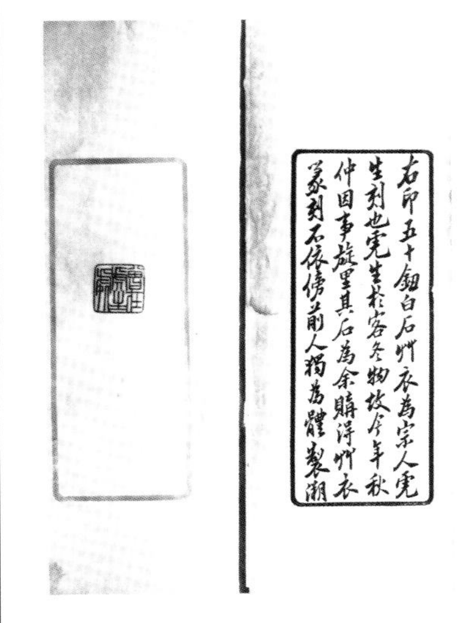

隨喜室集印初編内頁及跋

區别，仍將按印文書寫。餘如“舲”、“闅”、“烜”、“废”、“翮”等字一仍其舊，以存印文之字形。

最後再談談偽印的情況，齊白石是一位生前即負有大名的藝術家，其自刻印中有：“吾畫遍行天下偽造居多”、“吾畫遍行天下蒙人偽造尤多”的句子。繪畫的情況在此不必贅言，但印章不如繪畫的廣受人們愛好，因此作偽也就較少，但近十數年，由於齊白石的聲名又鵲起，各種印刷品中有翻印、翻刻齊白石篆刻作品的。有的用鋅版反復翻刻製版，以致失真，面貌全非。齊白石在自輯印譜中亦有相似的情況，使用鋅版印面過於平滑，印泥不能深入，故而蓋出之鈐本，筆畫意趣全無。與原石鈐印對比可知，尤其個别翻版，因供製版的“原本”既劣。再鈐出之本與偽印無异了。還有一種是為偽刻，雖然筆畫位置可以如真印一般，但因出於仿摹，章法、刀法不能自然，終要露出馬脚來。

如有真本收入本印譜，而另見相同印文的偽本，兹舉五例：“一粟翁”的“翁”字；“隱峰居士”的“隱”、“居”兩字；“羅葆琛印”的“羅”、“印”兩字，仿刻較為明顯。“疏散是本性”不但字畫刻得僵硬，印石亦長方一些；“傲寒”一印印面筆畫位置雖能大致不錯，但邊款拙劣連位置都錯了，以上五印與真本相比真贋可一望而知。至於因出版單位為求“豪華”鈐印，反復翻製鋅版，神形皆失，數量較多，不便枚舉。另見有兩方齊白石所使用的印章，一方為朱文曰：“齊白石金石文字記”，另一方為白文曰：“長沙齊璜白石書畫記”，此兩印由邊款知均為北京篆刻名家張蔭(樾丞)的作品，由此可窺見齊白石與當時北京篆刻家之間的交往與借鑒。

齊白石的篆刻藝術，對現代的中國篆刻，産生過很重要的影響，他的思想感情和藝術主張，通過其作品將率真、潑辣、執著進取、敢於創新的藝術精神，直接表達出來。戰國秦漢的古印，在製作上主要是一種技藝。而明清的印人，則把篆刻發展成一門藝術、一門“印學”。今天的藝術家，則企望通過篆刻，作為傾訴感情，寄托理想的一種表現形式。在這新舊交替之間，作為創作觀念的變化，齊白石的貢獻，必由歷史作出客觀的評定。

一九九七年新歲改定於京西客寓

一粟翁

一粟翁(偽作)

隱峰居士

隱峰居士(偽作)

長沙齊璜白石書畫記　齊白石金石文字記(張蔭刻)

疏散是本性

疏散是本性(偽作)

注釋：

① 見胡絜青在《齊白石遺作展》座談會上的發言。

② 見王伯敏《黄賓虹畫語録》。

③ 見《白石老人自述》第四〇頁。

④ 見《白石印草》跋。

⑤ 丁敬，字敬身，號硯林、鈍丁，别號丁居士、龍泓山人、硯林外室等。浙江錢塘（杭州）人，好金石碑版，精鑒别，富收藏，工詩，善書法。篆刻取法秦漢，并吸收何震、朱簡等人之長，古拗峭折，方中有圓，孕育變化，以切刀法治印，蒼 勁質樸，一洗嬌柔嫵媚之態，别具面目。爲浙派"西泠八家"之首，著有《武林金石録》、《龍泓山館集》等著作。

黄易，字大易、大業，號小松、秋庵，别署秋景庵主、散花灘主等，浙江仁和（杭州）人，工詩文善書畫，篆刻曾師事丁敬，間及宋元諸家，工穩生動，淳厚淵雅，與丁敬并稱爲"丁黄"，同爲"西泠八家"之一，喜集金石文字，擅長碑版鑒别考證，廣搜碑刻，著有《小蓬萊閣金石文字》等著作。

⑥ 趙之謙，初字益甫，號冷君，後改字撝叔，號悲庵、憨寮、無悶、梅庵等。浙江會稽（紹興）人，咸豐九年（一八五九年）舉人，博古通今，工書精篆隸八分，創立自己的面目，善畫，筆墨酣暢，寬博淳厚，開清末寫意花卉新風。精篆刻，初學浙、皖二派，後突破秦漢璽印規範，吸取古錢幣、鏡銘及碑版等篆字入印，章法講究，古勁渾厚，閑静道麗，别創新格，印側刻畫像，亦屬首創。著有《二金蝶堂印譜》、《補環宇訪碑録》、《六朝别字記》等。

⑦ 見《白石老人自述》第九九頁。

篆刻

第一部分：自用印

姓名·字號·齋室·閑文·吉語

齊白石

齊白石

齊白石

齊白石

齊白石

齊白石

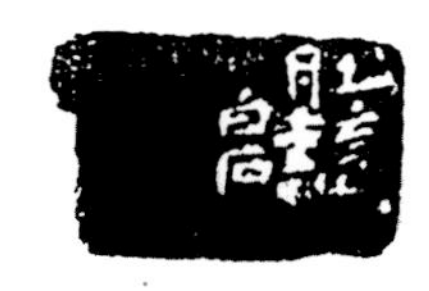

齊白石

齊白石

臣璜私印

臣璜之印

齊頻生

頻生

頻生

齊伯子

恨翁

芝

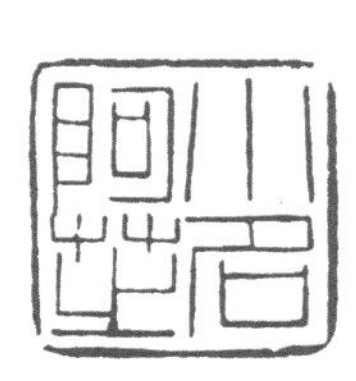

小名阿芝

阿芝

阿芝

齊大

齊大

齊人

苹翁

借山老人

借山老人

木居士記

木居士記

名余曰璜字余曰頻生

齊白石
借山主人
(雙面印)

齊璜觀
白石曾觀
(雙面印)

齊璜敬寫
五世同堂
容顏減盡但餘愁
恐青山笑我今非昨
（多面印）

齊璜
瀕生
相思
頻生齊氏
一别故人生百憂
（多面印）

齊璜印
齊房之印
老苹辛苦
阿芝
齊人
（多面印）

齊璜暮年又見
白石白事
平翁又白
齊木人
安得平安
（多面印）

白石假看
萍翁假讀
知我只有梅花
(多面印)

白石翁
老平
(雙面印)

齊房

齊房之印

齊房

齊大

齊大

阿芝

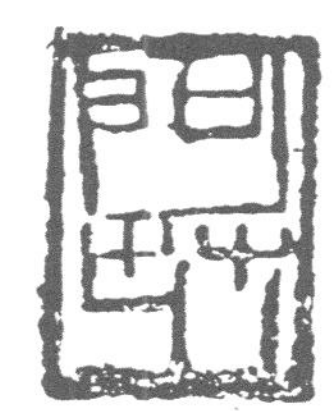

阿芝

阿芝

齊璜

齊璜之印

白石翁

白石翁

白石翁

白石翁

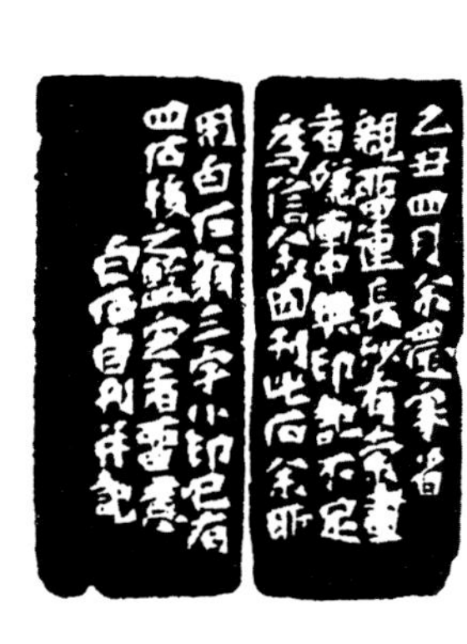

白石翁

白石翁

白石翁

白石翁

白石草衣

畫師白石

借山翁

借山翁

借山翁

借山老子

苹翁

平翁

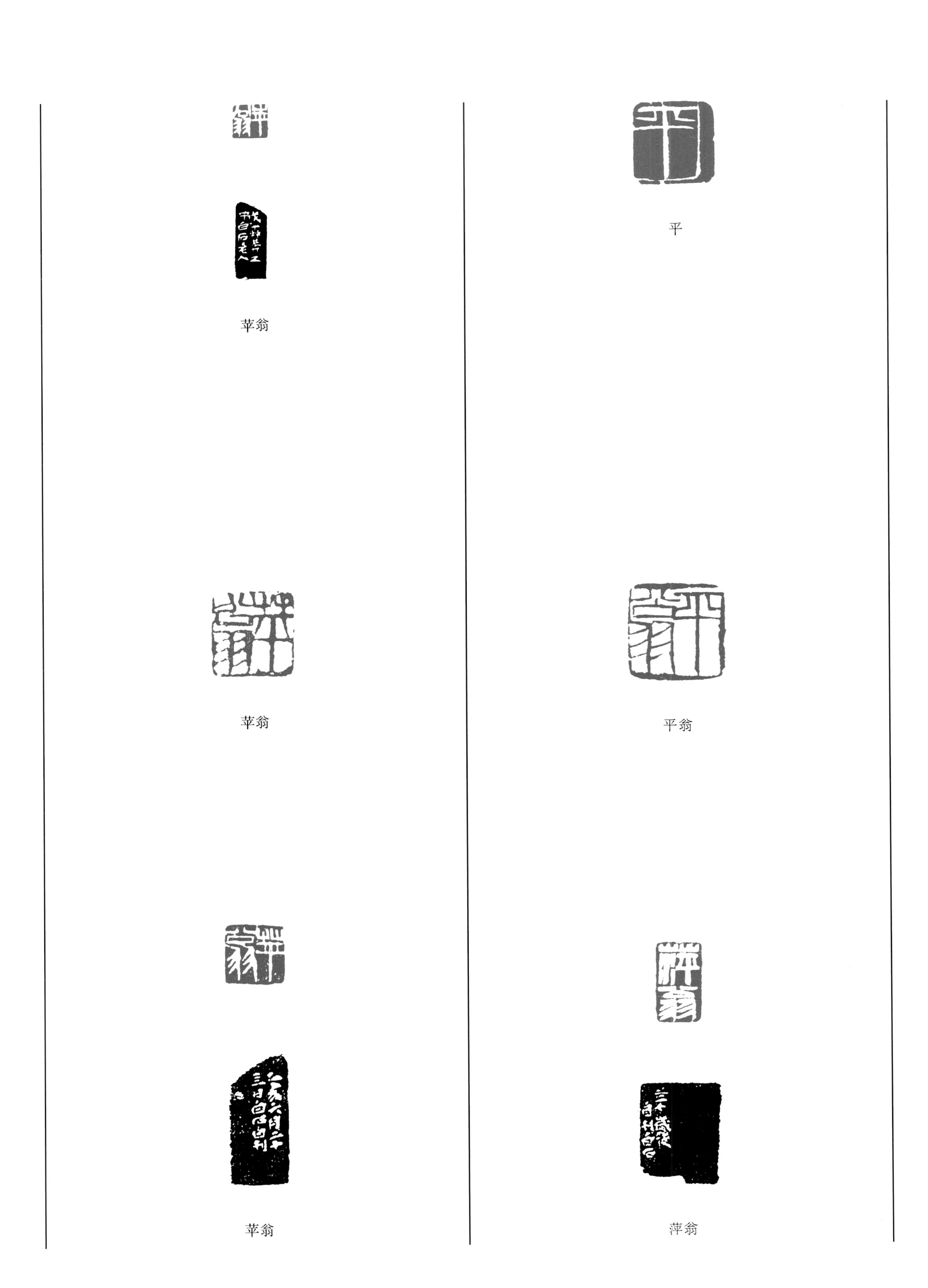

苹翁

苹翁

苹翁

平

平翁

萍翁

蘭亭

白石

白石

白石

白石

白石之記

白石

白石

白石印記

白石私記

白石山人

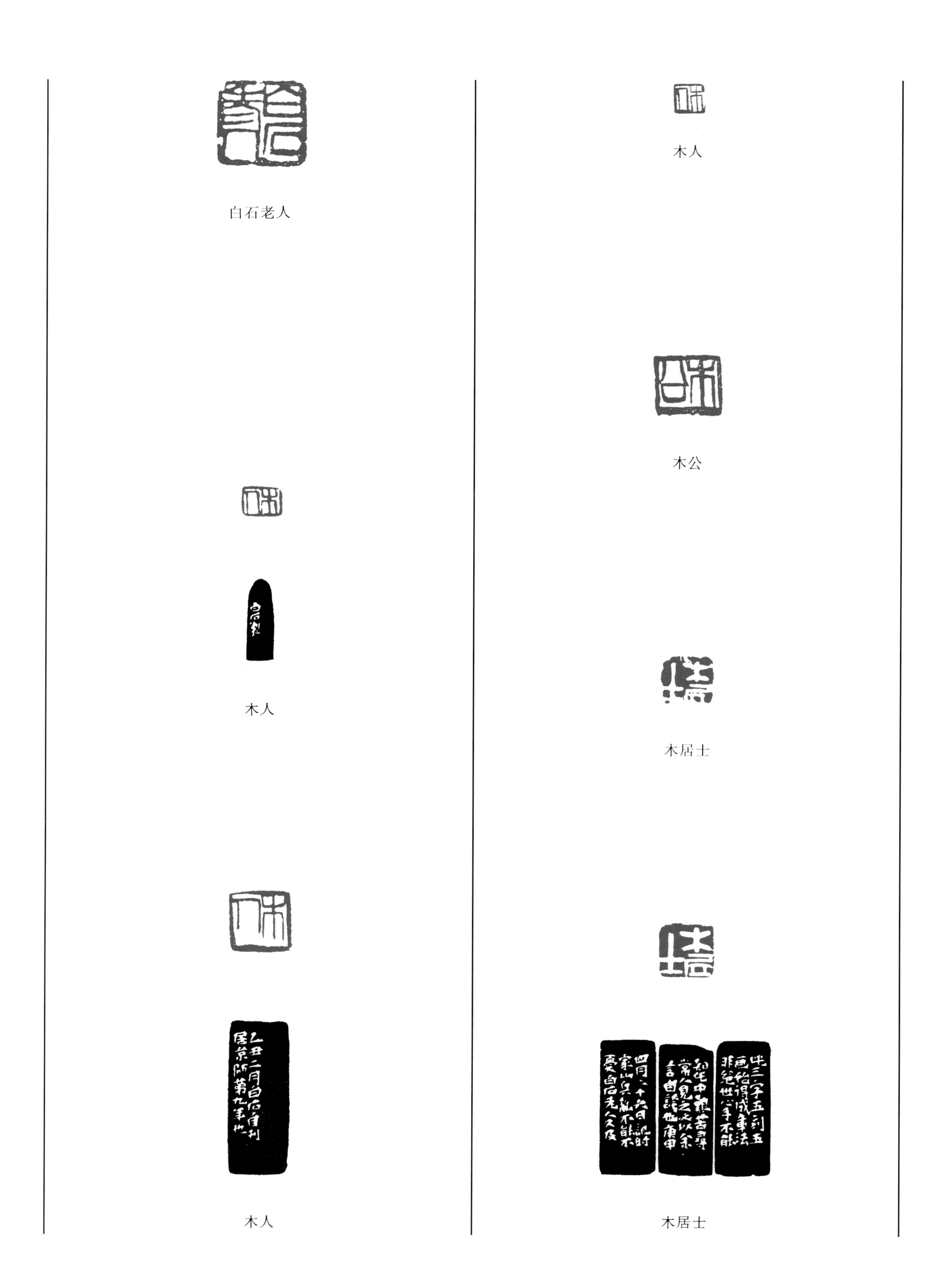

白石老人

木人

木人

木人

木公

木居士

木居士

木居士記

木居士

木居士

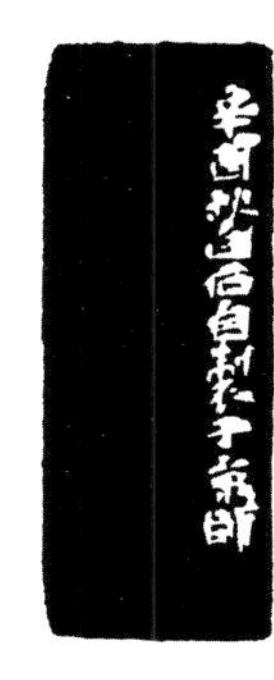

老齊

老齊郎

老木

老苹

老苹

老白

老白

老白

齊白石觀

白石畫蟲

白石曾見

白石賞心

白石言事

白石相贈

白石造稿

白石造化

白石题跋

白石题跋

白石题跋

白石题跋

白石三復

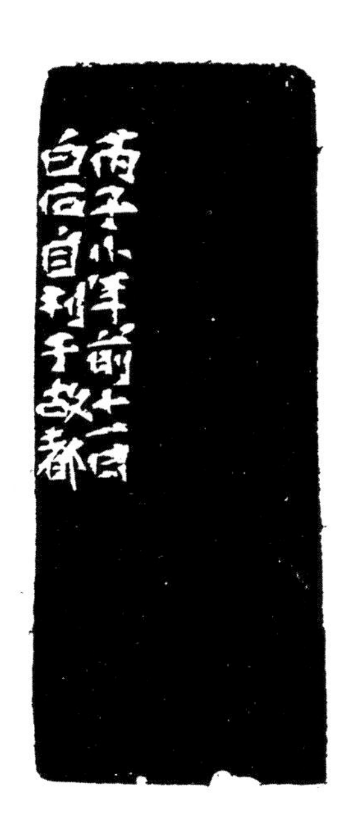

白石篆字

白石許可

白石見

白石吟屋

老苹曾見

老萍手段

齊璜老手

老手齊白石

齊白石管領金石紙本

苹翁管領字畫

苹翁嘆賞

齊頻生曾藏三十五年

頻生眼福

齊氏家傳

龍山社長

老齊經眼

齊白石藏

三百石印齋

借山館

三百石印富翁

樂石室

借山館記

白石草堂

甑屋

甑屋

煮畫庖

煮畫山庖

八硯樓

借山吟館主者

悔烏堂

悔烏堂

寄苹堂

悔烏堂

寄萍堂

寄萍堂

寄苹吟屋

無黨

杏子塢老民

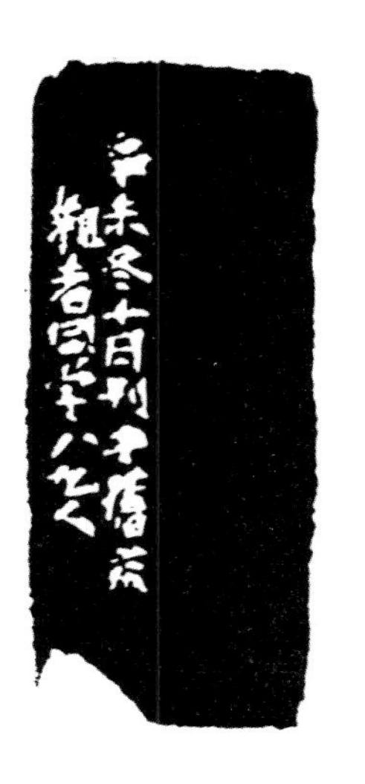

半聾

餓叟

古潭州人

古潭州人

古潭州人

古潭州漁人

湘上老農

再生

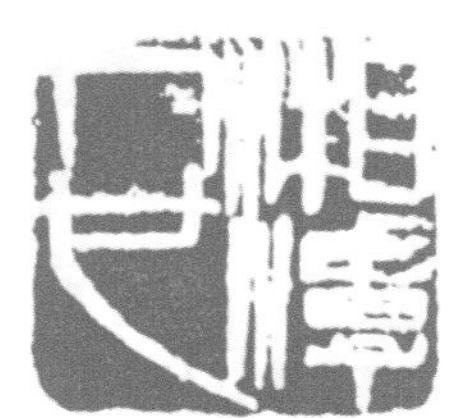

湘潭人也

中國長沙湘潭人也

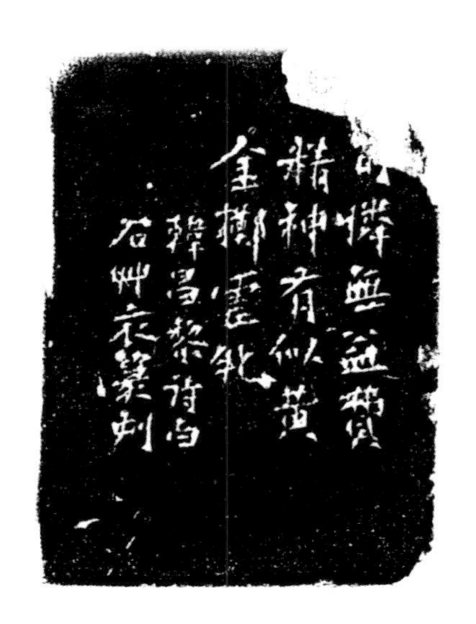

黄金虛牝

心無妄思

金石年

我生無田食破硯

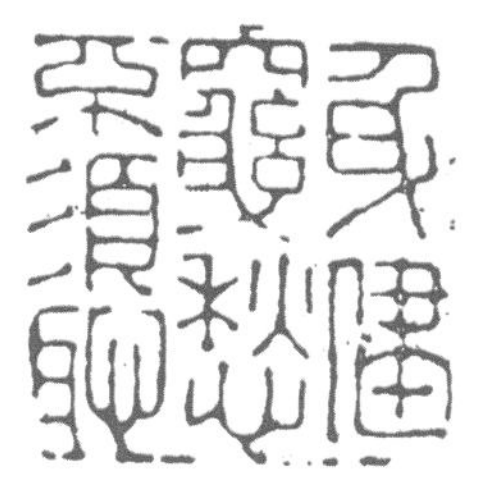

身健窮愁不須耻

五十以後始學填詞記

一闋詞人

吾友梅花

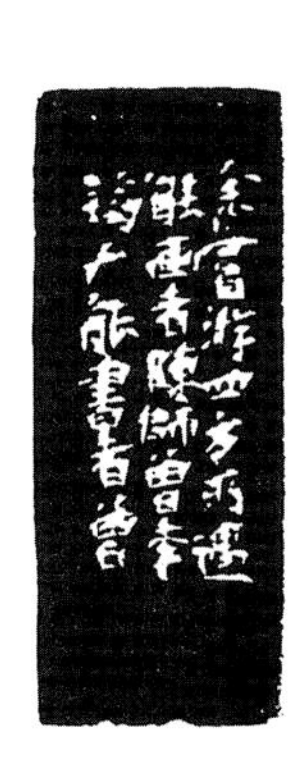

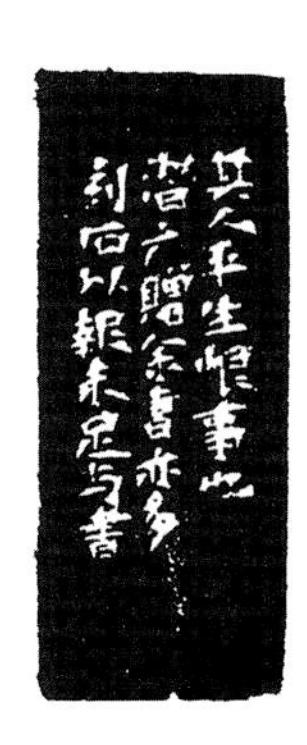

枕善而居

汗淋學士

淨樂無恙

恨不十年讀書

孤雲意無春

流俗之所輕也

流俗之所輕也

滌研不嫌池水冷

秋風紅豆

白眼看它世上人

戊午後以字行

老夫也在皮毛類

鬼神使之非人工

故鄉無此好天恩

太平無事不忘君恩

吾幼挂書牛角

客久思鄉

客久子孫疏

夢想芙蓉路八千

三餘

古之愚也

大匠之門

大匠之門

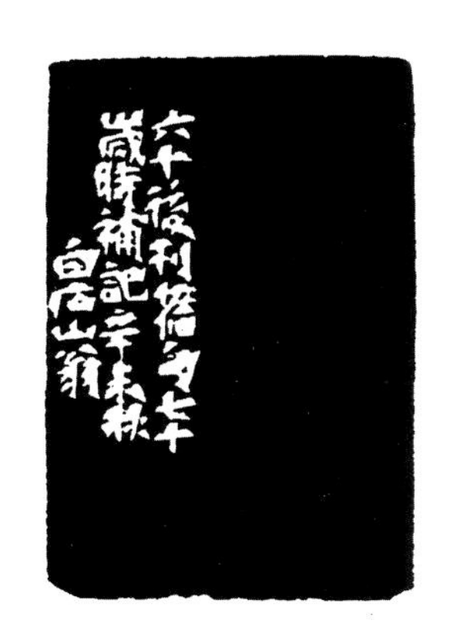

魯班門下

魯班門下

褦襶痴

大無畏

平生辛苦

一家多事

一家多事

江南布衣

老年流涕哭樊山

知己有恩

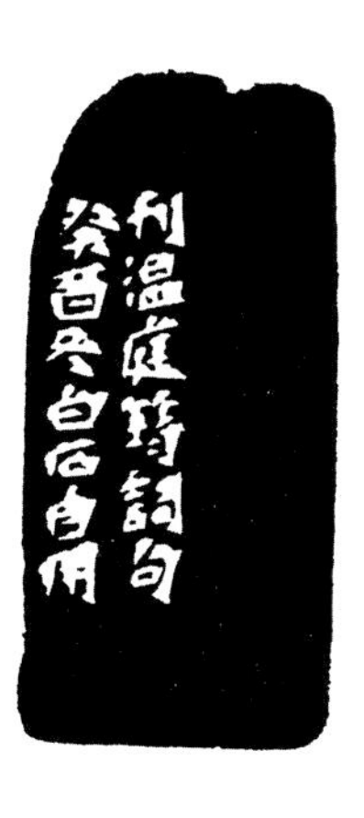

憶君腸欲斷

流涕哭樊嘉

王樊先去天留齊大作晨星

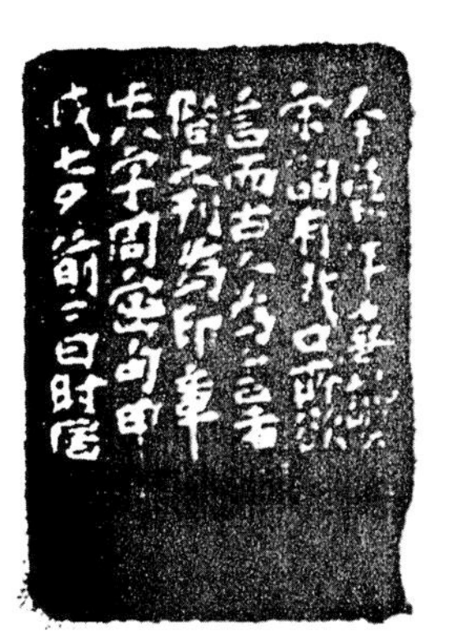

客中月光亦照家山

往事思量著

獨耻事干謁

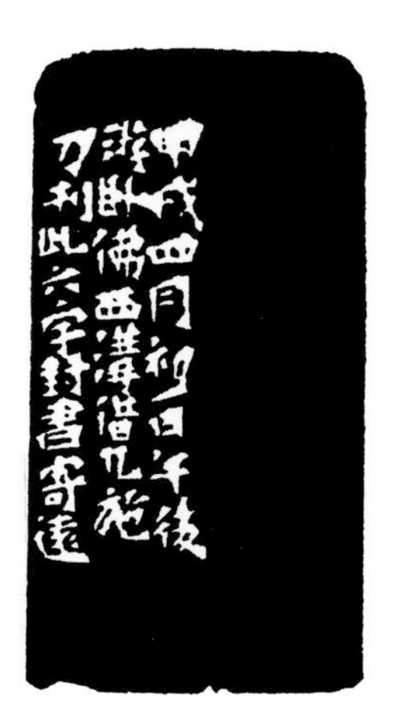

西山風日思君

鈔相牛經

前世打鐘僧

一代精神屬花草

最工者愁

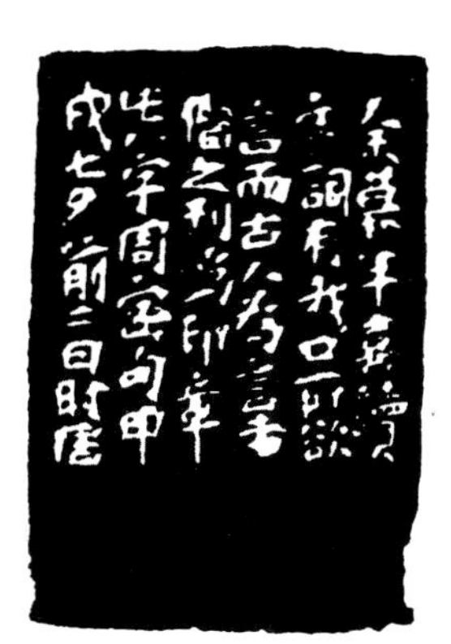

一襟幽事砌蛩能說

窮後能詩

一代精神屬花草

草間偷活

窮後工詩

知白守黑

何用余憂

心耿耿

隔花人遠天涯近

心内成灰

一年容易又秋風

吾狐也

馬上斜陽城下花

乃翁過目

父子合作

老苹有子

仁者壽

佩鈴人

老壽

煮石

重三

苦白

杜門

何要浮名

浮名過實

無使名過實

我自作我家畫

藕花多處别開門

思持年少漁竿

容顔减盡但餘愁

爲客負梨花

門人半知己

門人知己即恩人

有情者必工愁

歸計何遲

蓮花山下是吾家

歸夢看池魚

尋思百計不如閑

尋常百姓人家

芊翁得見有因緣

盡携書畫到天涯

星塘白屋不出公卿

老年肯如人意

曾登李白讀書樓

一切畫會無能加入

强作風雅客

受恩慎勿忘

丁巳劫灰之餘

寡交因是非

世譽不足慕

也曾卧看牛山

功名一破甑

飽看西山

故里山花此時開也

牽牛不飲洗耳水

繞屋衡峰七十二

東山山下是吾家

此心唯有斷雲知

言語道斷心行處滅

山姬帶病相扶持

鷓鴣啼處百花飛

難如人意一生慚

贏得鬢鬚殘雪

吾道何之

吾道西行

吾少清平

吾惜分陰

吾儕閑草木

吾家衡岳山下

雕蟲小技家聲

風前月下清吟

要知天道酬勤

行高于人衆必非之

吾畫遍行天下僞造居多

吾畫遍行天下蒙人僞造尤多

痴思長繩繫日

百怪來我腸

百戰有完身

白石老年賞鑒

白石老年自娱

知足勝不祥

偷得浮生半日閑

掃門者四時風

患難見交情

一息尚存書要讀

君子之量容人

三千門客趙吳無

草木未必無情

吾草木衆人也

天涯亭過客

我書意造本無法

我自疏狂异趣

詩字畫刻四無成

寧肯人負我

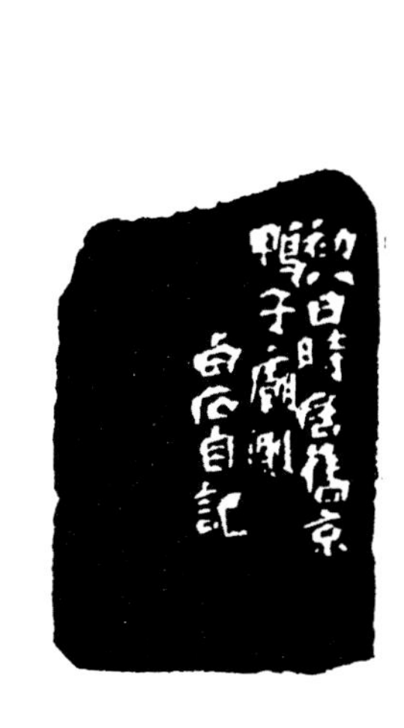

安得子孫寶之

我負人人當負我

心與身爲仇

私淑何人不昧恩

散髮乘春風

蛩鳴無不平

老眼平生空四海

苦吟一似寒蛩號

兒女冤家

梨花小院

梨花小院思君

接木移花手段

百樹梨花主人

老爲兒曹作馬牛

嘆浮名堪一笑

望白雲家山難捨

有衣飯之苦人

兒輩不賤家鷄

以農器譜傳吾子孫

慚愧世人知

慚愧世人知

西山如笑笑我邪

西山雖在亦堪憐

曾經灞橋風雪

買系原綉綉系人

嘆清平在中年過了

還家休聽鷓鴣啼

豈辜負西山杜宇

兩耳唯于世事聾

四不怕者

倦也欲眠君且去

中華良民也

花未全開月未圓

木以不材保其天年

老豈作鑼下獼猴

老豈作鑼下獼猴

老去無因啞且聾

閑散誤生平

無道人之短

吾奴視一人

無君子不養小人

奪得天工

餘年離亂

思安卜鬼神

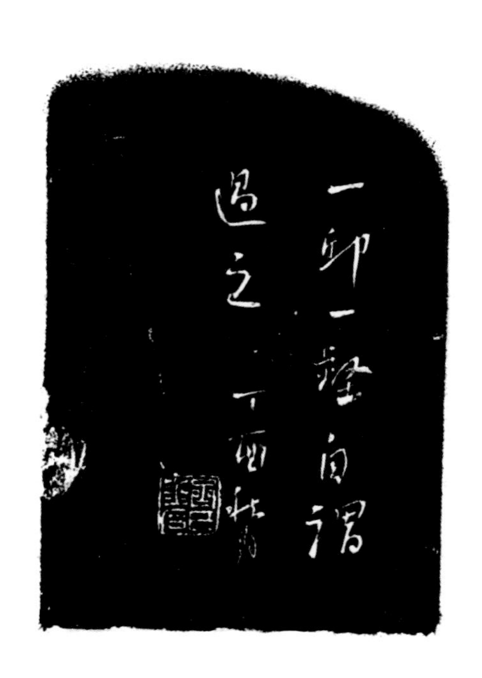

一丘一壑自謂過之

八十歲應門者

有眼應識真僞

七三翁

年高身健不肯作神僊

七十以後

行年七十三

七十三歲後鐫

七四翁

七五衰翁

七八衰翁

七九衰翁

吾年八十矣

吾年八十二矣

行年八十三矣

年八十五矣

年八十六矣

吾年八十七矣

吾年八十八

年八十九

年九十

九十二翁

九九翁

九九翁

乙丑始畫

癸酉

甲戌

乙亥

丙子

丁丑

辛巳

癸未

辛卯甲午

白石之妻

七三老妇八千里

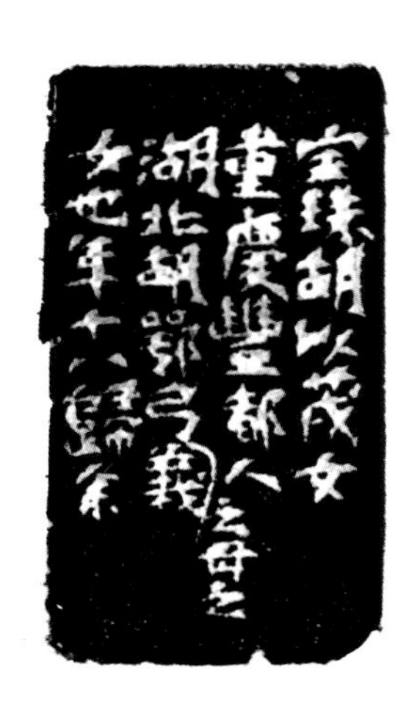

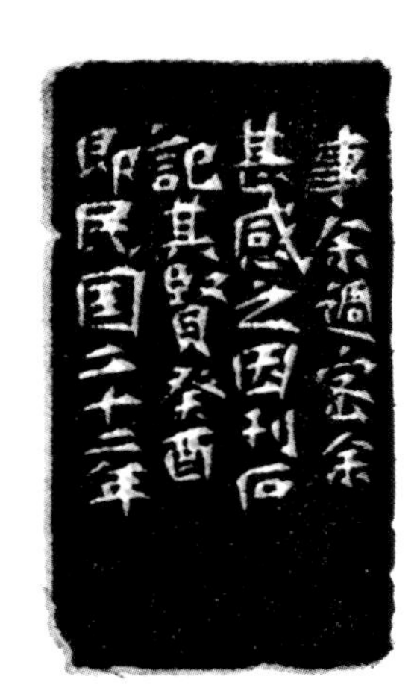

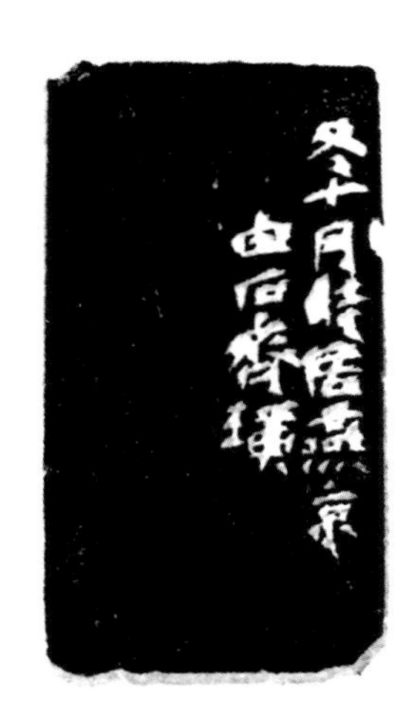

齊白石婦

齊寶珠

寶

寶君

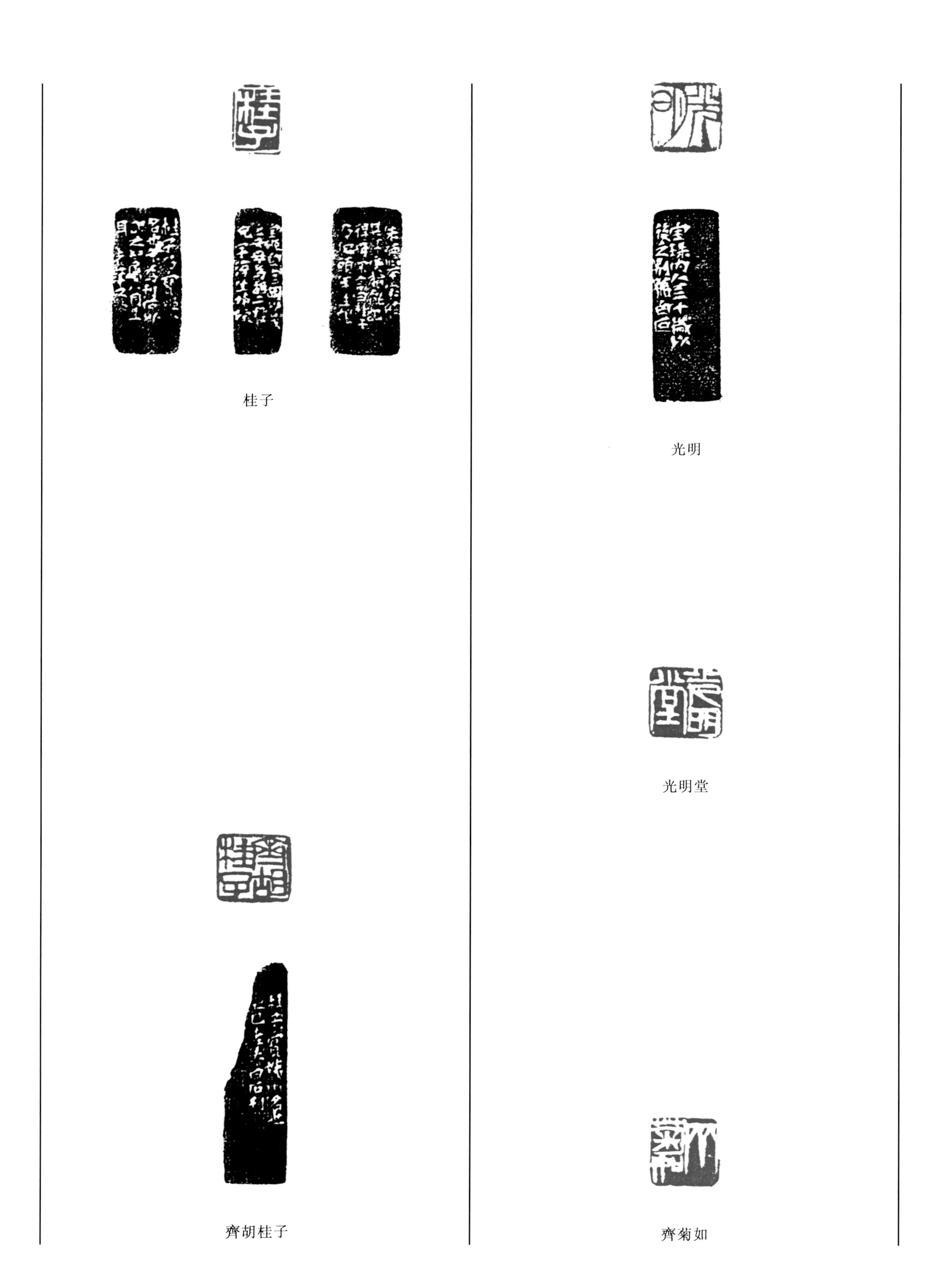
桂子
光明
光明堂
齊胡桂子
齊菊如

白石長女

齊良琨

齊良琨印

齊良琨印

良琨

良琨

子如

子如

子如賞鑒金石文字記

子如詩書畫記

齊三

齊良遲

齊良遲印

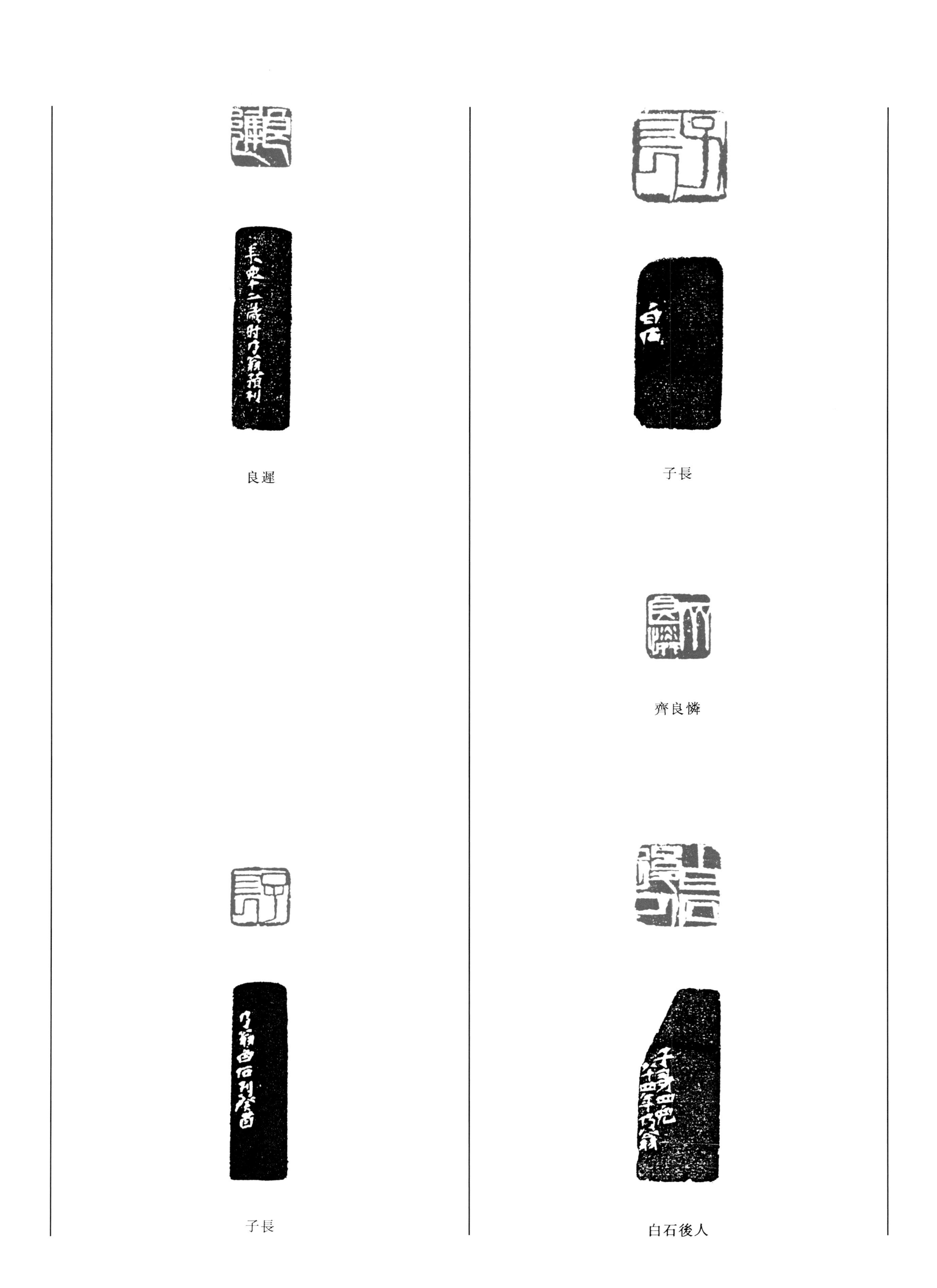

良遲

子長

子長

齊良憐

白石後人

齊四

白石四子

齊良歡

齊良止印

齊良止印

良年

翁子

翁子

良平

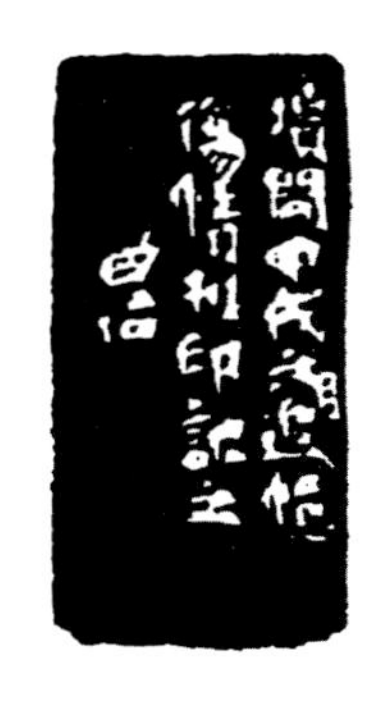

非兒

移生

白石孫子
齊秉靈印
(雙面印)

齊秉率

佛來

如來弟子

白石第十二孫

白石弟子

白石弟子

借山門客

白石之徒

借山門人

白石門人

第二部分：他人用印
姓名·字號

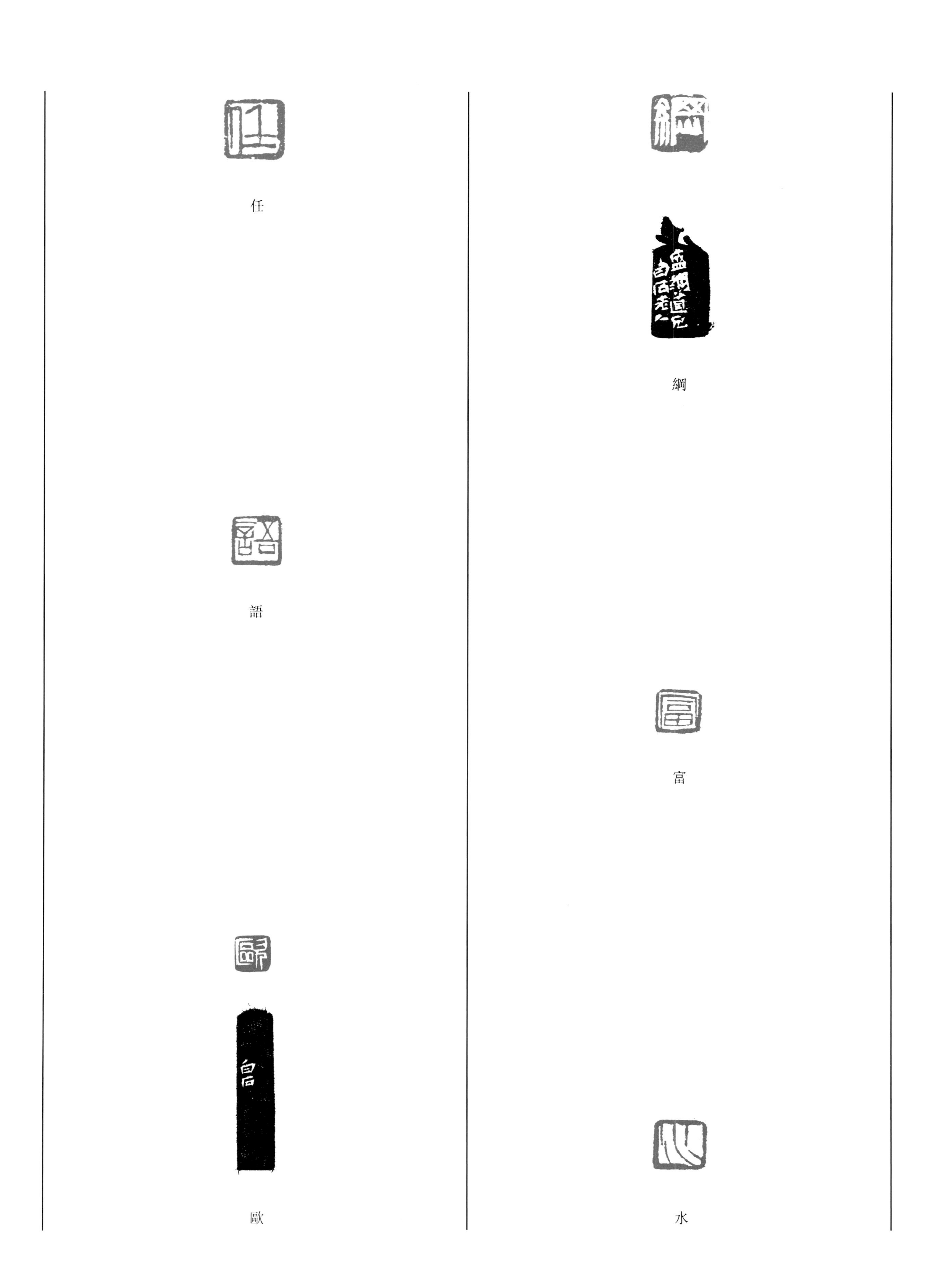

任

語

歐

綱

富

水

本

謙

勇

贈

喜

緘

絲

適

適

禪

禪

雅

雅

沈二

婁氏

瀏陽鄒氏

白珩

白西大

白蘋

謝大

白峰

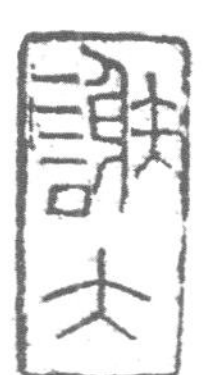

謝大

謝大近況

小謝

臣淵私印

臣淵印信

謝淵印記

謝淵印信

虎巽一字默庵

謝道弘印

謝承炳印

南海譚氏

譚濟夫

譚延闓印

茶陵譚澤闓印

譚澤闓印

譚延闓印

延闓

無畏

夏靜淵

夏首勳印

夏時鼎印

夏培德印

夏壽田印

夏壽田印

夏壽田印

夏壽田印

夏壽田印

夏壽田印

夏壽田印

天畸

曾總均印

志熙

黎

曾擴情印

曾擴情印

江南黎五

黎子鹤

子鹤

郭荃

郭芝

郭楞仙

郭秀儀

郭向陽印

郭有守印

郭延之印

郭希度印

郭宗熙印

齊國璜印

齊夔元印

楊

楊度

楊哲子

哲子

釋虎

虎生行一

臣鈞又名曰政

楊仲子

白心

楊伯廬

楊莊

楊劍秋

楊叔子

叔子

楊昭儁印

楊昭儁印

楊鈞小印

楊芰青父

淑度

叔度讀書

叔度長年

邵

邵一萍

邵小逸

小逸

浙東邵氏

邵元冲

邵元冲

元冲

邵元冲字翼如

翼如

邵墨田

胡鋭

胡佩衡

胡佩衡印

佩衡

佩衡之印

胡士開印

胡漢民印

胡駿聲印

胡若愚印

胡若愚印

胡振名印

胡庭芳印

陳源

陳死

死

陳怡

陳微之印

陳衡寧印

陳希曾印

師曾小詩

陳果夫

陳裕新

陳允文

陳泡翁

泡翁

陽溪陳人

陳惟庚印

陳氏女子

陳訪先印

陳之初印

陳耀倫印

陳際昌印

陳家鼐印

陳樹森印

陳樹森印

陳樹森印

張

大千

張

張諤

張群

荊門張漢

張愷驥

張佩紳

張庭鈞

張道藩

張半陶

張默君

默君

張佐民印

張伯駒印

張伯烈印

張客公印

張仁盦印

範卿

張一俊印

張子祥印

張其煦印

張傳烜印

張明哲印

張學良印

張樹勛印

王之

王惕

王淮

愓生

愓生

王蓉

王大章

王白與

王士燮

王光輝

王兆均

王守信

王道遠

王朝聞

王若波

王妙如

朱

朱

朱

王恩士

王國楨

王嶦農

王氏汲父

遂安王邕

王大寅印

遂安王邕

王文彦印

王寧度印

王永樹印

王執誠印

王伯群印

王伯群印

王伯湖印

王柱宇印

王秉信印

王樹常印

王澤寬印

王慈博印

王毓芝印

王毓芝印

王纘緒

治園延年

津沽王氏啓貴之章

王纘緒印

李

李杭

李静

李介如

李介如

李宗理

李智超

白洋舟子

李逵群

李德群

李白珩

李英之印

英

李氏苦禪

苦禪

苦禪

李氏經輿

經輿

李宗弼印

經宇

李書華印

李文斂印

李仲公印

李如常印

李宏錕印

李楝臣印

李曉塵印

李容汶印

李乾三印

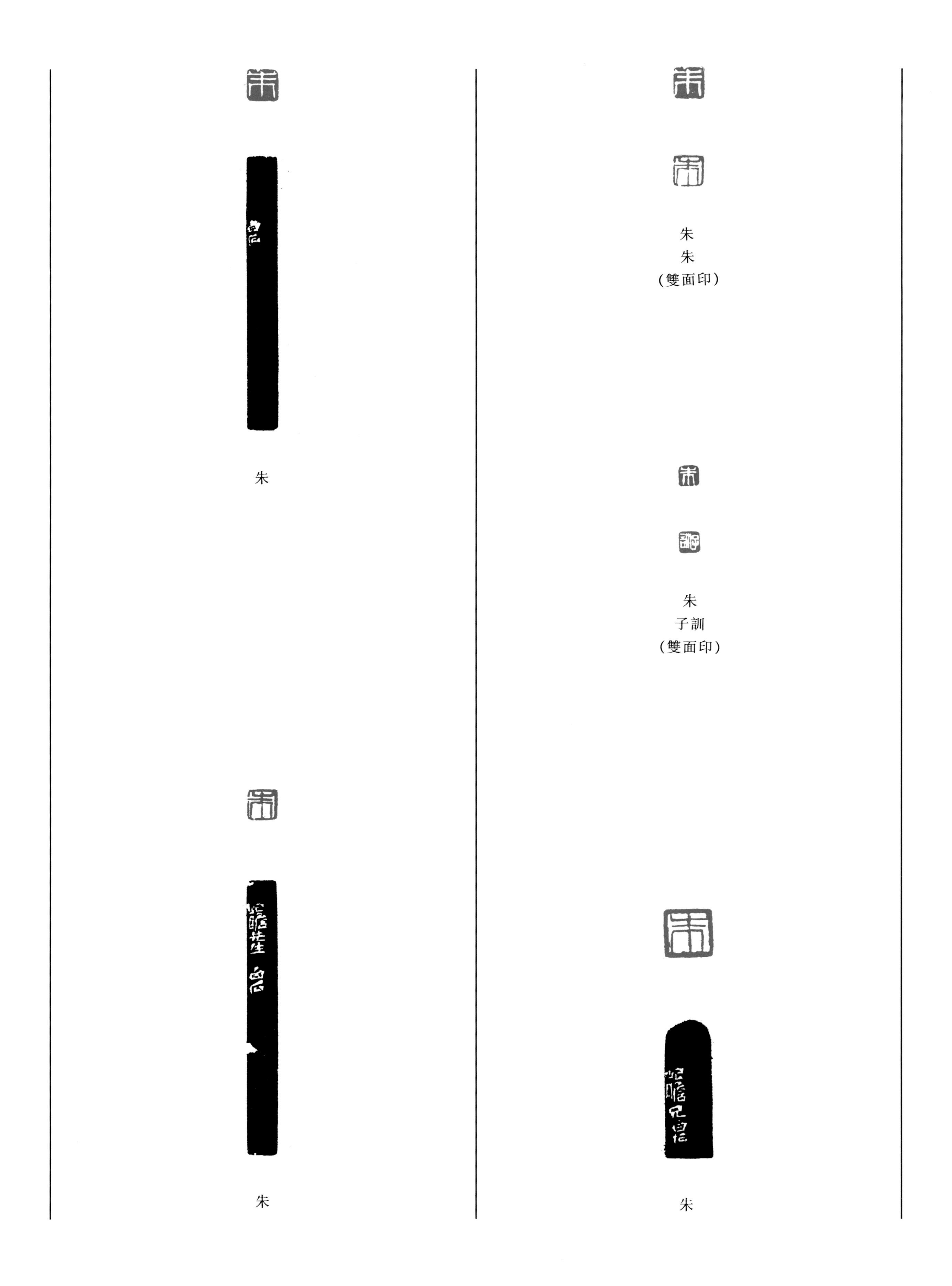

朱

朱
朱
（雙面印）

朱
子訓
（雙面印）

朱

朱

朱屺瞻

朱增鈞

朱屺瞻

婁江朱氏

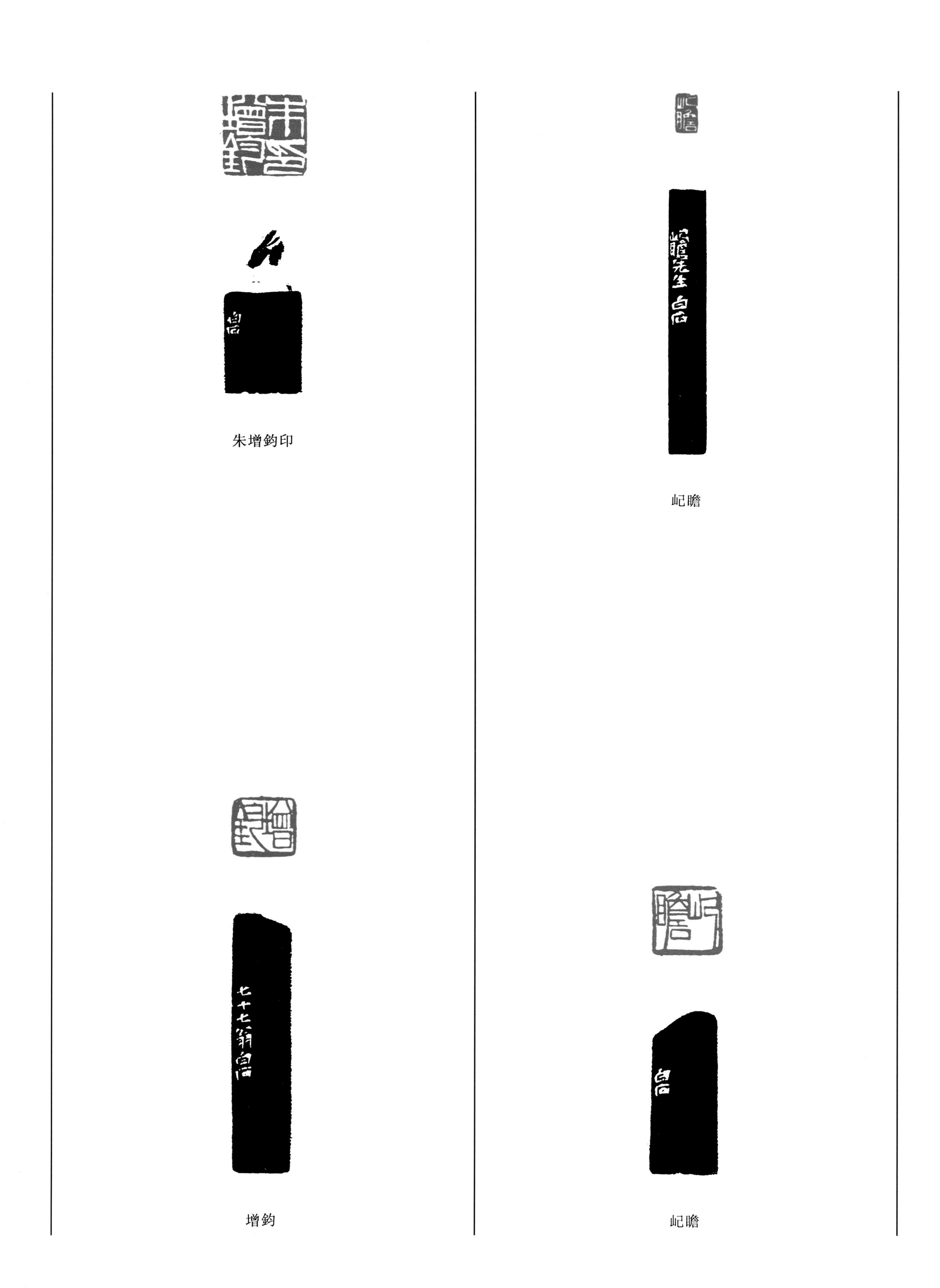

朱增鈞印

屺瞻

增鈞

屺瞻

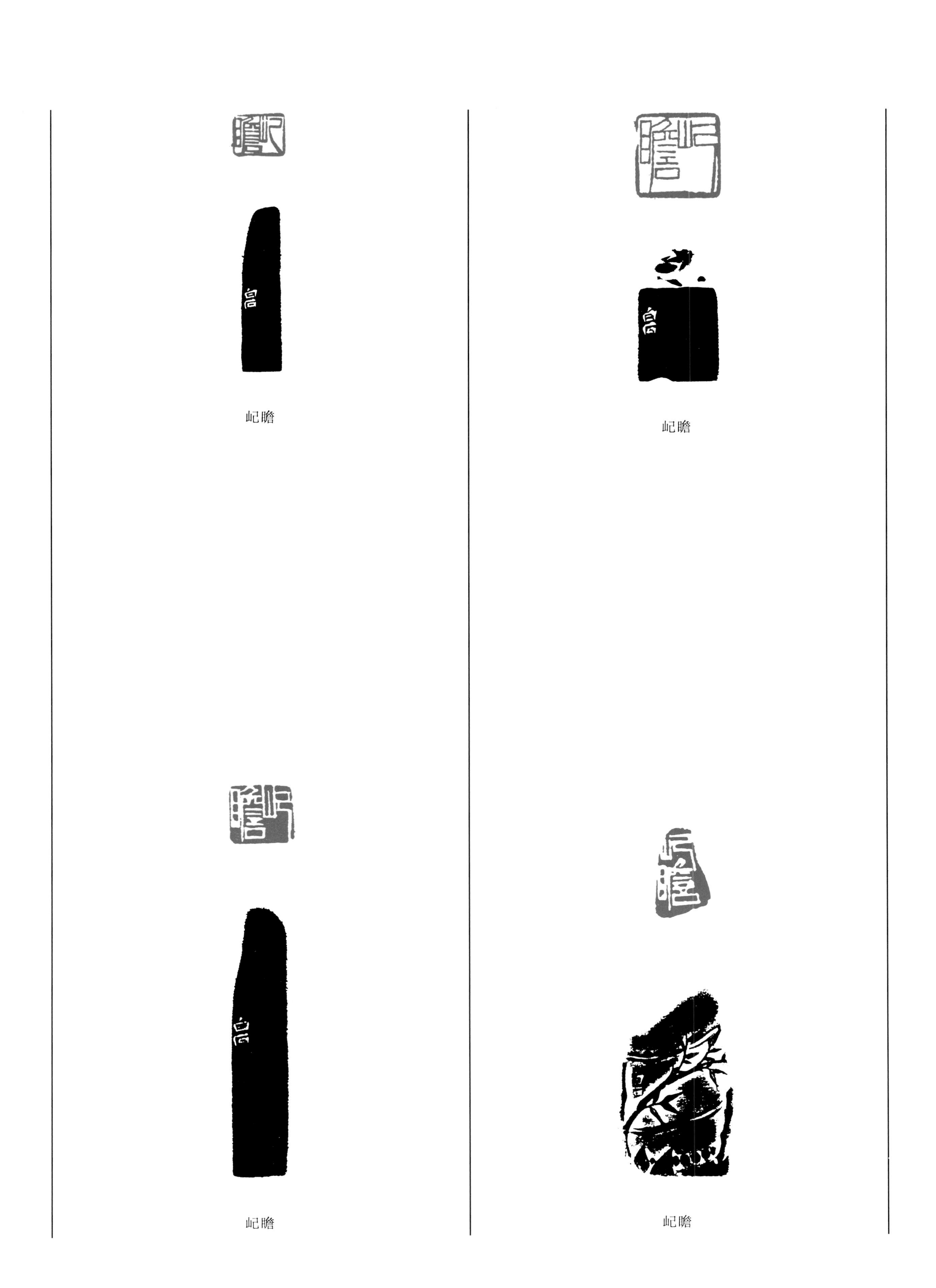

屺瞻

屺瞻

屺瞻

屺瞻

屺瞻

屺瞻

屺瞻

朱家璠

朱瓊英印

朱延昱印

朱驌君允

項城

靖威將軍

曹雲祥

曹錕之印

曹琨之印

虎威上將軍

曹錕之印

直魯豫巡閱使

直魯豫巡閱使

直魯豫巡閱使

葉錕

黄岡羅虔

羅虔之印

致坡

致坡

羅虔之印

蔣中正印

介石

丁超

丁聰

丁恪之印

蔣作賓印

羅玉庭

羅丙山印

羅祥止

羅家倫

羅葆琛印

汪申

汪申之印

汪吉麟印

汪詒書印

汪瑞閭印

汪吉麟印

汪止麟印

汪申伯印

梅郎

畹華

浣華

周懋

周作人印

周作人

周君素印

周君素

作人

周傳經印

周大文印

周震鱗印

周磐之印

林風眠

林風眠印

林風眠印

風眠

風眠

林衛音

徐圖

徐祖正印

徐再思印

徐保慶印

徐悲鴻

徐堪之印

萬國鈞印

徐翱一字而坩

萬氏玉田

甄甫

魯蕩平印

魯蕩平印

吳子亭

涇川吳氏

吳先亭

吴闓生印

北江

吴晉夔字一庵

劉宏

劉復

劉千里

劉志平

劉文輝印

劉伯英印

劉純中印

劉直清印

劉彥之印

劉白私印

東官劉氏

筑陽劉果

侯官黄濬

君璧

黄澍

黄濟國

黄天章印

黄曾樾印

孫東明

佛弟子東明

孫其銘印

杜忱

杜忱

杜之紳

杜老德

高

高幹

高汝明

魏

魏氏

魏五陰

魏五陰

魏軍藩印

于

于

又任

于本同

方嚴

方洺印信

趙亮直印

趙鍾玉印

趙鍾玉印

趙啓騄印

袁家普印

余

余仁之印

鄖縣余氏

興化余氏

余中英印

余中英印

與公

與周之章

與公

新化歐陽銘字慧虛印

與辛

歐陽銘印

歐陽銘印

銘

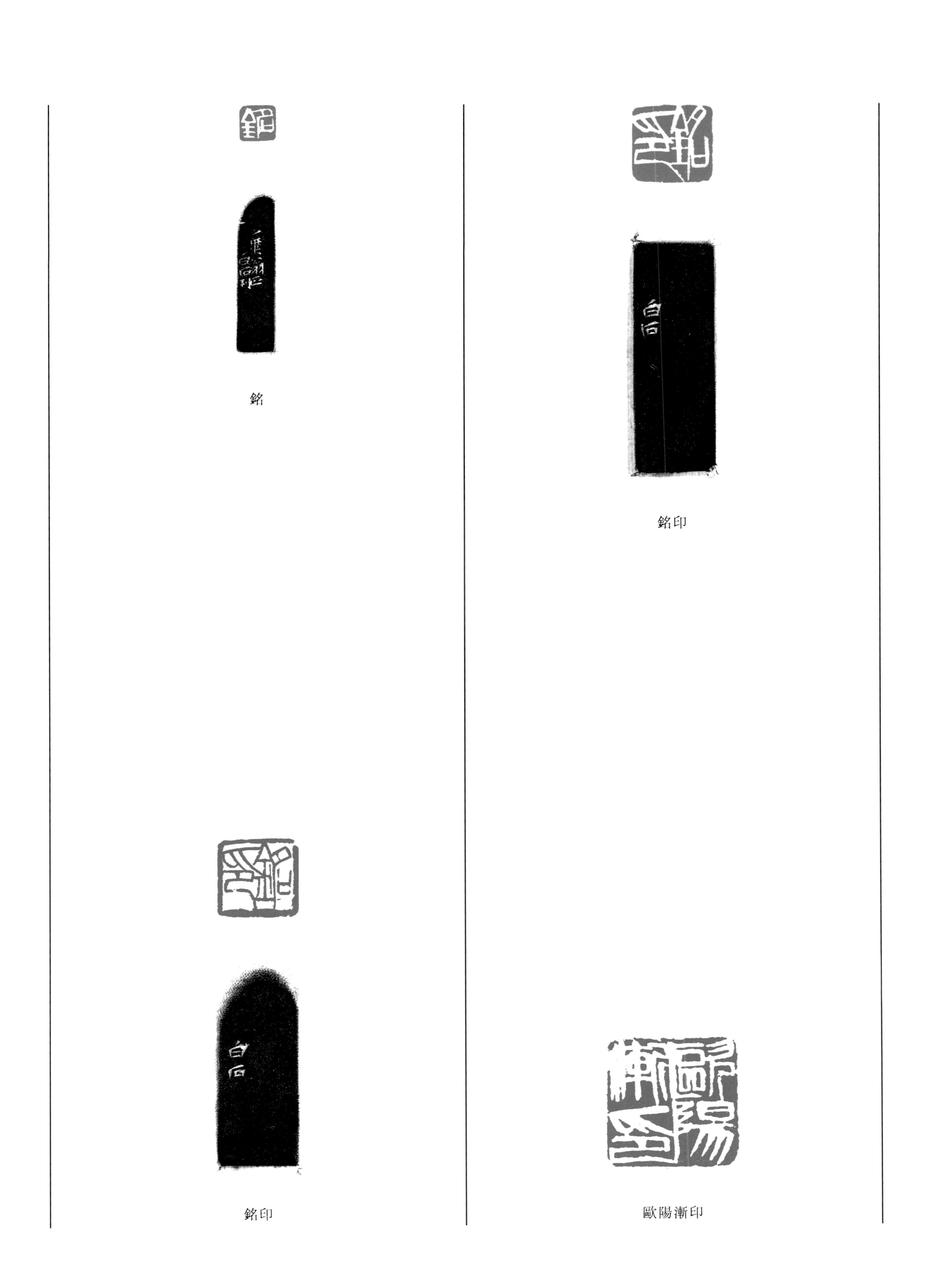

銘

銘印

銘印

歐陽漸印

歐陽慧虛

慧虛

歐陽植東

崔伯鴻印

植東

許壽康印

崔震華

崔叔青印

許鍾潞印

老彭

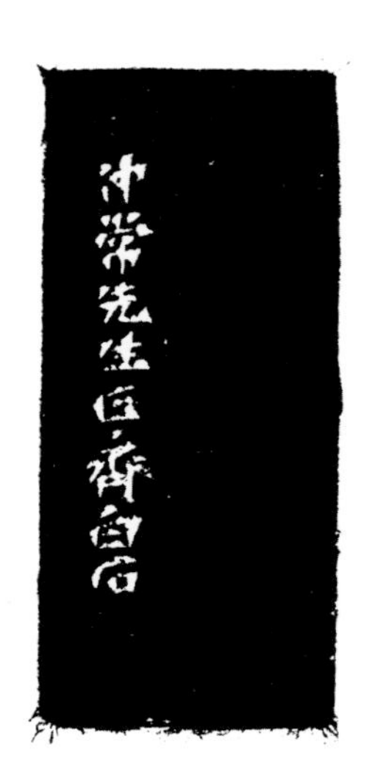

彭榘之印

仲常

彭祖𠙹印

彭壽莘印

鍾幹

鍾山

鍾子梅印

蕭同茲印

蕭淑芳

蕭氏淑芳

蕭耀南印

錢玄同

錢大鈞印

錢春祺印

鄧雲

鄧達道

鄧丙元

鄧燕林

馬學著

馬福祥印

藍璧光

藍堯衢印

葛覃

葛熙之印

翰屏

香翰屏印

桐城何氏

何海波

何鍵之印

何佩容印

何紹韓印

熊克武印

劭平

劭平

蔡彬

蔡禮之印

但懋辛印

常宗文印

懋辛

常焜彝印

湯澤

湯爾和印

景春

景紀英印

潘氏

潘承祿印

潘恩元印

文素松印

丘振豫印

查忠輔印

谷正倫印

唐獻之印

鮑伯香印

柳德園印

顧詒燕印

饒應銘印

姜殊文印

賀福泉章

梁啓超印

符定一印

鎮海賀氏

陸鉅恩印

喬映璜印

雷恩廷印

龍文治印

閻麗天印

曾紹禎印

田氏伯施

熊佛西印

郁風

龐梓

金三

金城之印

蘇峰

宗蕃

萬里

況裴

荆華私印

廖衡

鄭瑛

善化盛七

昭化賈氏

賈鑄

宋振架

紀鉅良

姚應釗印

牛嶺先

盧

盧

盧光照

關浙生

鮮于英

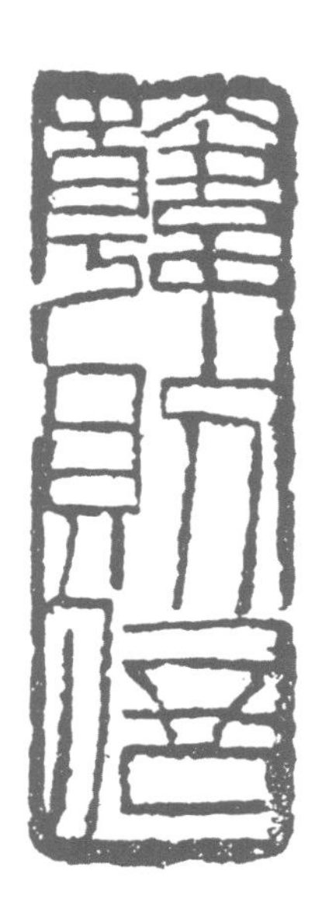

韓則信

薩麗荻

季端父

姜乃臨

瑞光之記

堯仁之章

傳霖之印

得霖之印

凌百之印

厚同父

建昌馬

帥名初

頡荀父

楚天一

閔羅張

羨鍾州

阿羅巴

克羅多

緝熙

師愚

佩芬

沙漚

泱漠

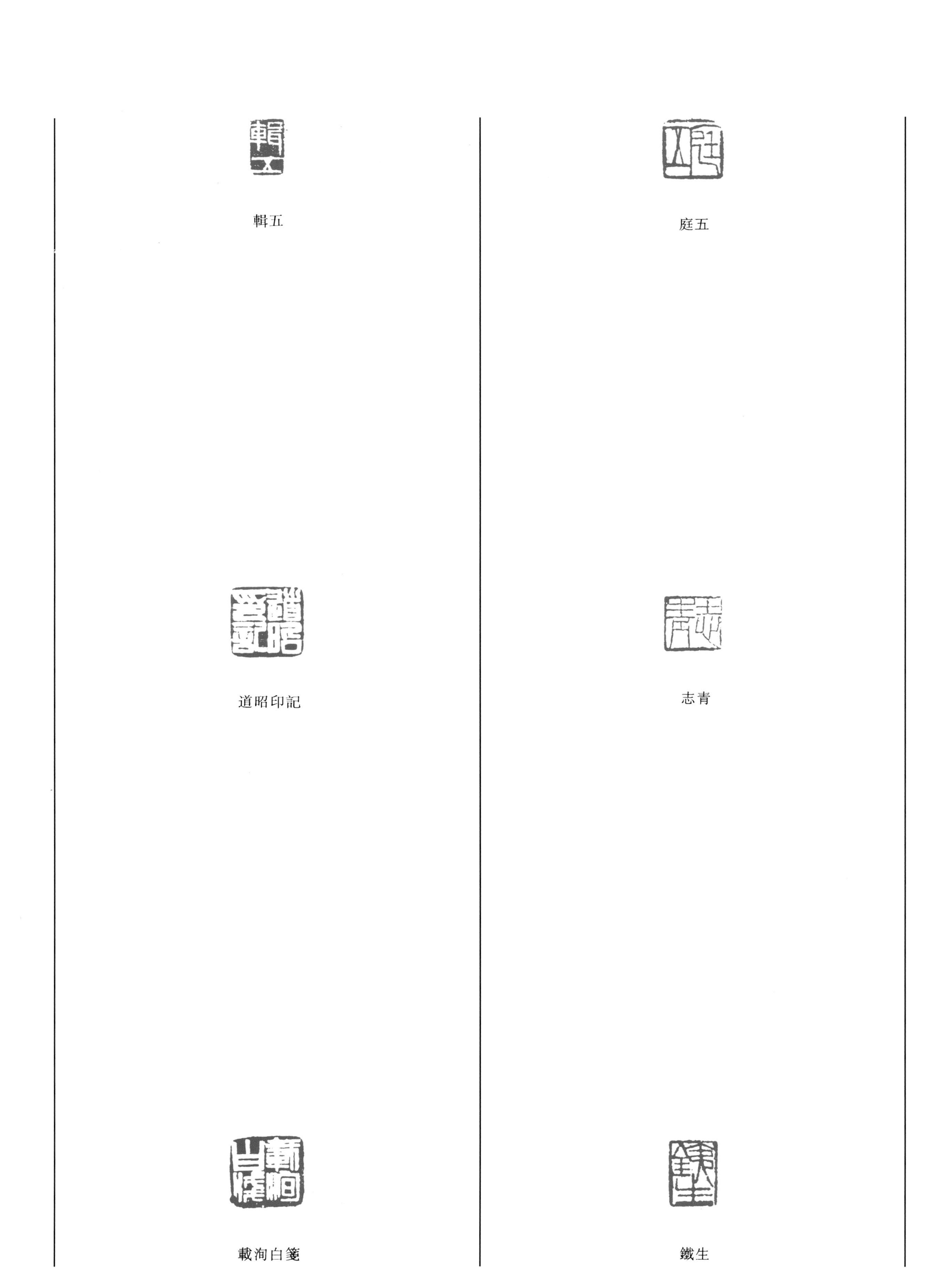

輯五

庭五

道昭印記

志青

載洵白箋

鐵生

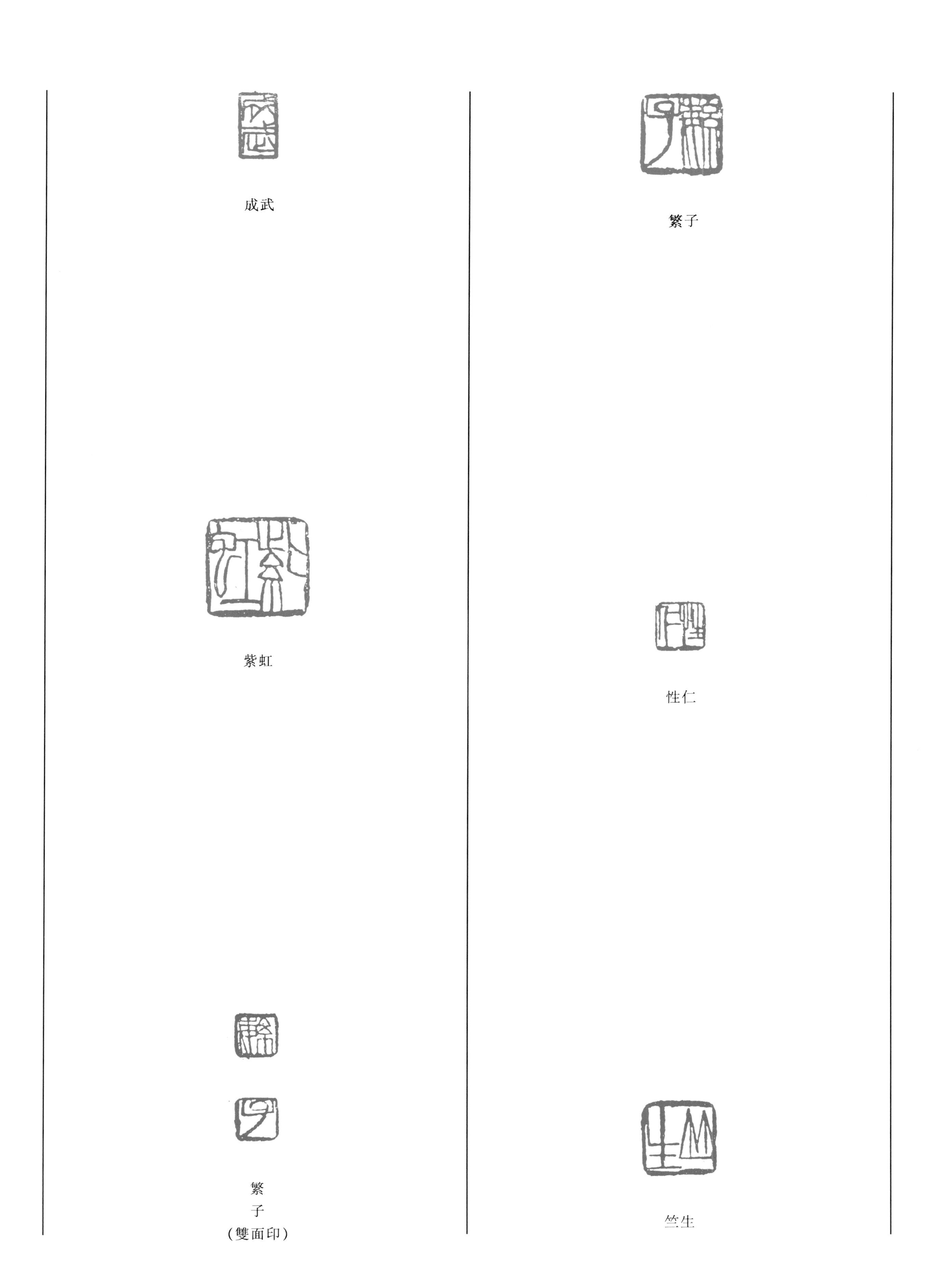

成武

紫虹

繁
子
（雙面印）

繁子

性仁

竺生

公魚

公甫

石農

石帚

石年

玉成

敬禹

福航

卓爾

斌甫

鎮中

斌甫

象賢

則敬

智輔

餘珊

如流

射山

琴孫

渾一

陽光

墨三

墨守

直支

誠之

季高

倉元

貞甫

永啓

汛親

客蓀

必藩

朝文

文夫

文夫

文瑗

文秦

鴻雋

輝域

瘦石

石冥

朝倉

之初

空山

空僧

商石

和父

弼丞

浩逸

壶公

桂父

信恒

蒙客

狗子

洧君

芷清

藹士

業成

竹銘

竹橋

企南

青萍

農畝

申伯

春塘

子和

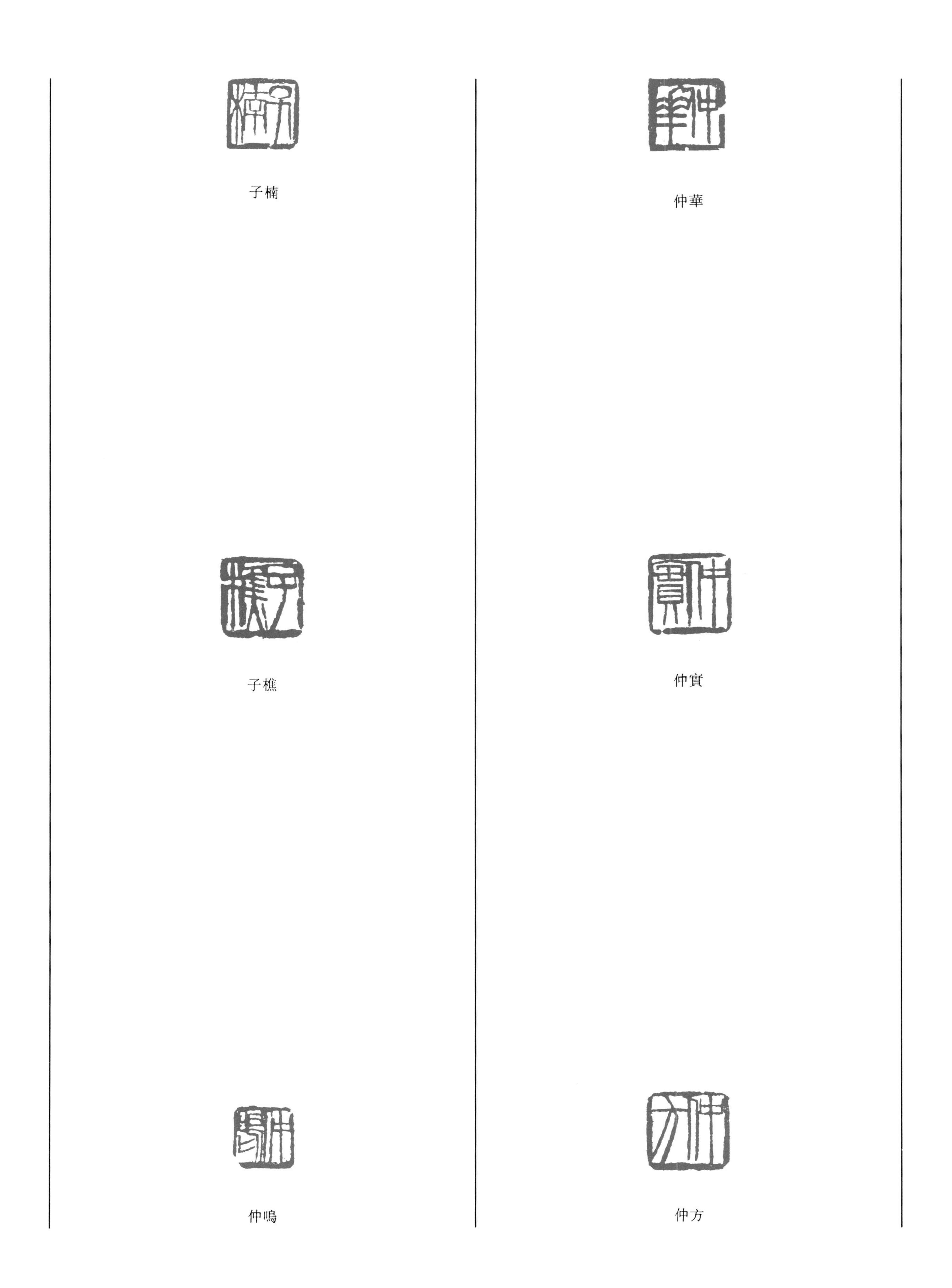

子楠

子樵

仲鳴

仲華

仲實

仲方

仲文

仲光

仲儒

雨翁

覺生

丹山

石安

撫萬

鐵僧

蓮生

居正

趡依

思安

思煒

可亭

可亭

玄圃

梓嘉

梓嘉

稚予

非翟

亞傑

圓覺

鈴山

朗夫

圓淨

醉白

圓淨

舟虛

貴嚴

自乾

若衡

若衡

大羽

笠樵

韵眉

花民

彪岑

嵐雨

雨巖

執誠

彥夫

夢琴

松年

宇澄

季尚

少武

劍鳴

冥祥

芋樵

廉仿

孤杉

秋士

海陵

荷庥

凌雲

豪翁

繼郎

獻之

瞻蓀

玲明

曼雲

銘勳

君襄

亭瑞

孟真

筱忱

虔忱

實篤

增祥

謙中

壽璽

雲亭

雲叟

壽璽

雲皋

實坪

雲仙

顔山

蒼風

緒詮

狙公

華堂

飯老

花章

佑宸

鳳亭

達雲

澄淵

嘉明

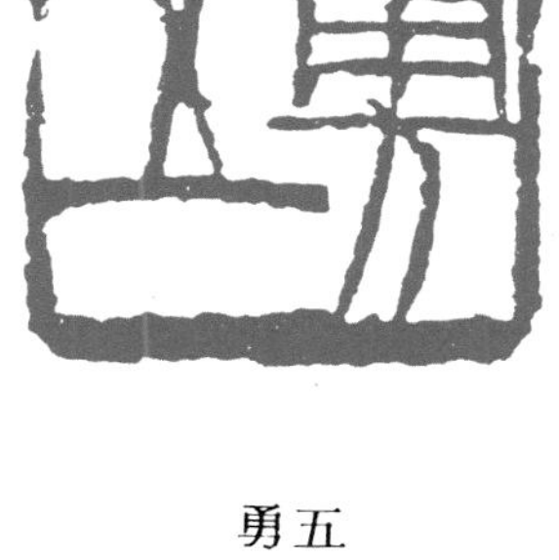

勇五

沛生

榮唐

慕陶

慕尹

豐山

隱青

仲欽

丹宇

鴻城印

淑賢工細

字曰德鄰

其犖之印

寶成之印

南圃之印

澤寬之璽

志潭蠡父之章

熙鈺私印

澄波長壽

尊石長壽

濟眾長壽

豳齊長壽

語舲長壽

墨緣

墨緣長壽

錦颿長壽

土筆居

正修
籟園
（雙面印）

籟園

福岡

次驊長壽

韞山長壽

靜川

養原

新井

伊東

百崎

百崎辰雄

龍梅原

武内氏

田孝

田八

小田印

原八郎

佳兵室

近藤氏印

金井清

藤原正文

植松淚仙

折田翠村

尾形清印

安彦英三

藤氏疇坪

正本直彦

易端漱平

廣瀨直幹

内堀維文

大冶祥金

小川平吉

津田秀榮

野口勇印

篪野堅印

山惇吉印

柴山兼四郎

小室翠雲

英雄之印

翠雲

柳川

平助

翠雲

小室貞印

柴山兼四郎

和田正修之章

西氏

竹内西鳳

西鳳

西鳳

西鳳

西鳳

西鳳

西鳳

西鳳

西鳳

菊庭書院

棲鳳

西鳳不死

蘭風

正法眼藏

竹内文庫

竹内文庫

樂石室

西鳳

考槃在澗

今來古往

第三部分：他人用印

齋室·閑文·吉語

浴蘭湯兮沐芳華

虎

虎公

虎公

虎生

虎生父

閑止

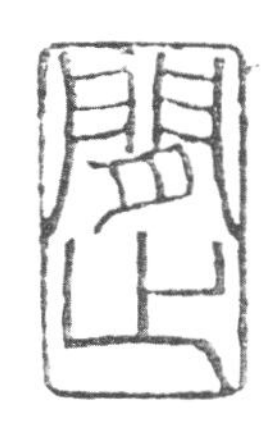

閒止

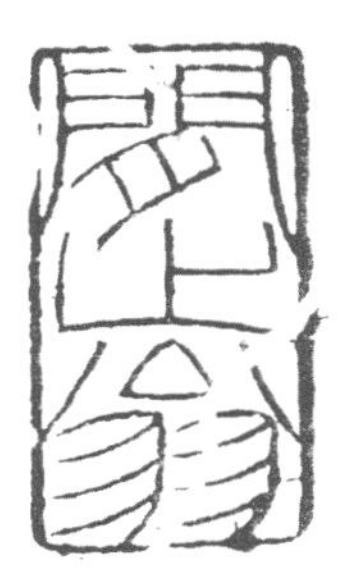

閒止翁

閑止翁

阿怕

白心翁

白心翁

阿怕

阿怕

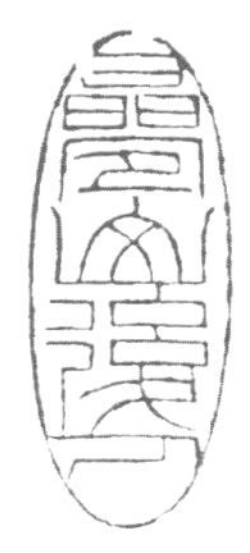

叠山後人

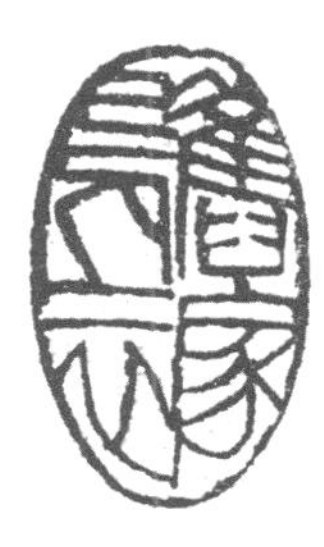

舊家烏衣

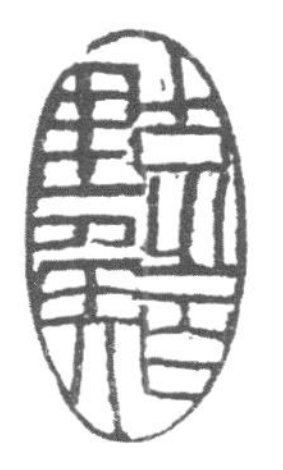

古之百里魚

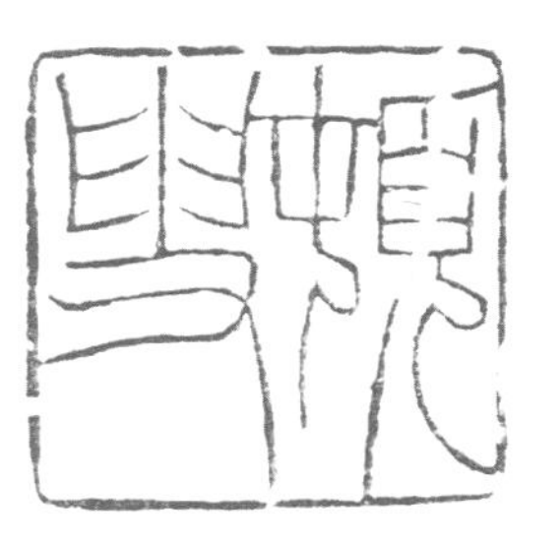

頓叟

一字頓叟

一字黔鐵

祖庵

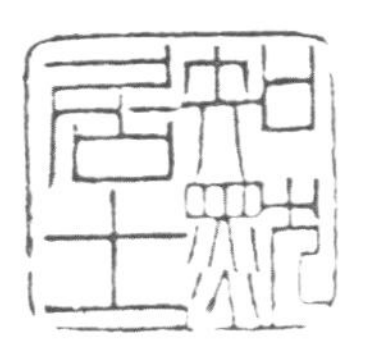

知默居士

山台居士

印奴

石癖

潜庵

潜庵

冷庵

冷庵

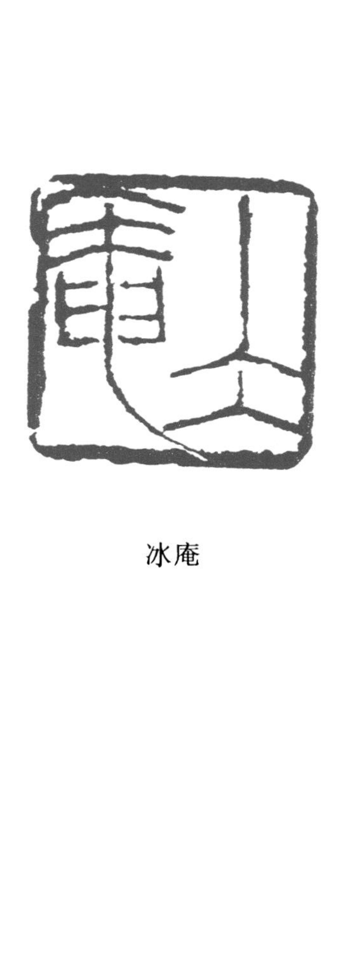

冰庵

默庵

惠庵

蘆隱

老雪

一粟翁

一粟翁

雪庵

雪頭陀

桂湖長

太倉人

道昭之印
衡山人
（雙面印）

衡山人

衡山

衡山

德居士

豫章五子

德居士

古龍標人

榜眼

榜眼

戎馬書生

思簡樓主人

研雲山房主

翠明莊主

止莊主人

二莊主人

杏語館主

平園主人

香雪莊主

毅庵主人

青雲閣主

鶴屋野人

白林孤客

桃蔭居主

慈園居主

海西居士

隱峰居士

鐵馬道人

鶴鳴山樵

江陰士人

冬嶺樵人

隴右女史

少卿内史

樟林教頭

古寺山僧

潭州漁隱

長白山農

天柱山民

雀廬主人

婉雲山人

微山行人

天外村人

天恩老人

黄泥漁人

餘生老人

樊山後人

隨時快樂翁

畢盦羅館主人

蒙軒

藝廬

簡廬

梓園

曲園

沙園

友石

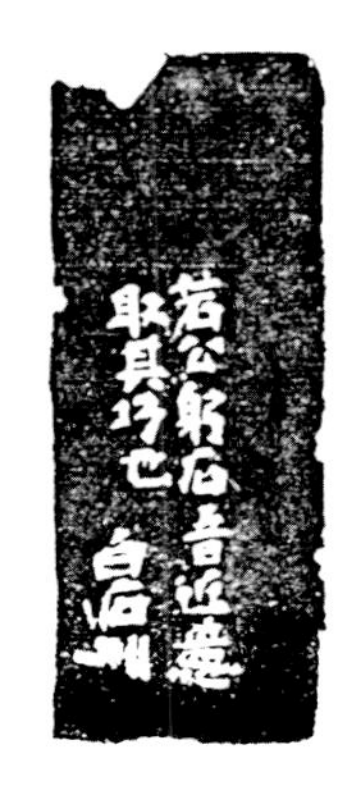

躬石

硯田農

硯翁

咸陽客

硯海居士

歸田翁

劍門過客

石癖
五陵少年
（雙面印）

海上石癖長安人
咸陽客
（雙面印）

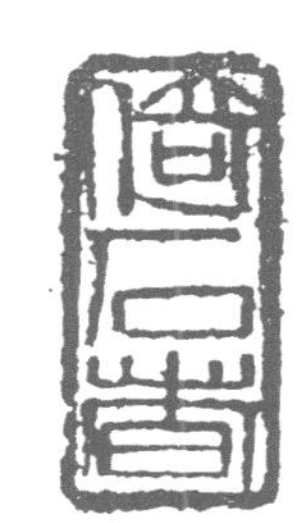

倚石者

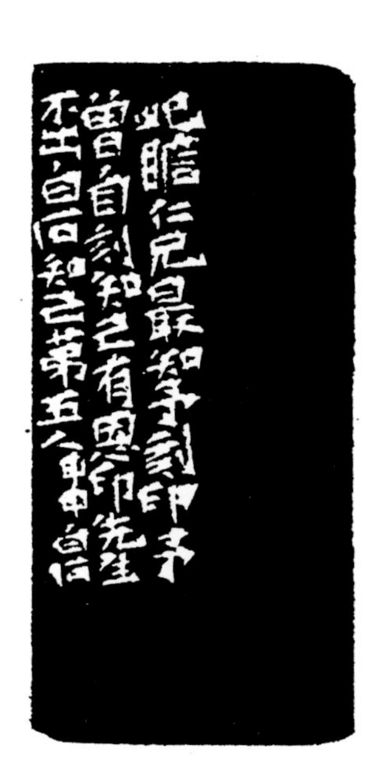

六十白石印富翁

古我氏

南陽布衣

三讓堂

北城沙門

麓雲樵子

五福堂

三樂堂

五石堂
朽木不折
（雙面印）

鋤經堂

三知堂

鑿冰堂

保稚堂

保稚堂

北堂

鑿冰堂

骿足堂

銘德堂

東山草堂

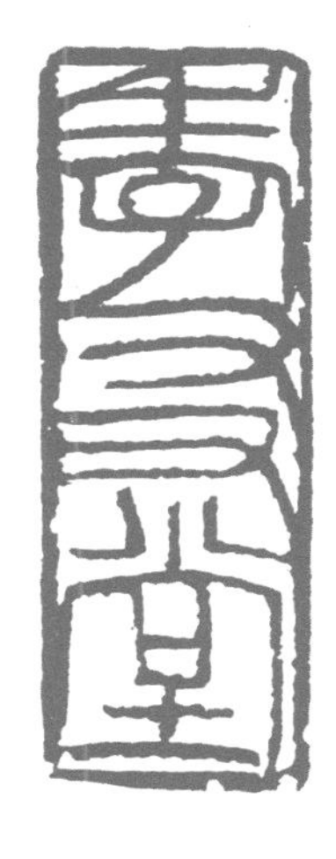

孝友堂

東山草堂

東山草堂

慈衛室印

梅花草堂

梅花草堂

梅花草堂

梅花草堂

師愚室印

斗漱室

梅花草堂

無聲詩室

蘭雲齋

定遠齋

澹靜齋

夢詩廬

淺歡齋

温夢齋

歸適齋

習苦齋

養素齋

晉齋

夷齋

半瓦齋

三硯齋

神覺硯齋

黃龍硯齋

陽嘉硯齋

百一硯齋

味無味齋

古風今雨之齋

玉芝館

竹陰館

青琳館

夜雪吟館

什麽盧

太平華館

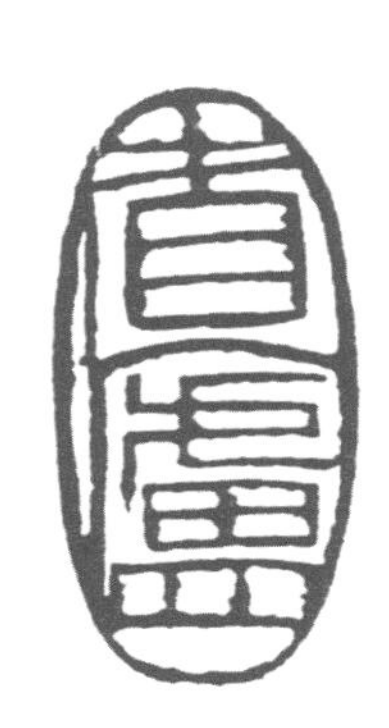

省廬

帚廬

博雅廬

麗軒

柳陰軒

嘉蔭軒

無懷軒印

壺中庵

自青榭

石墨居

白雲居

此君亭

留華洞

留華洞

䪿頏樓

夕紅樓

凍雲樓

思蕳樓

山水樓

築己樓

寫劇樓

滄海樓

半聾樓

海燕樓

靜壽山莊

聚石樓

聚石樓

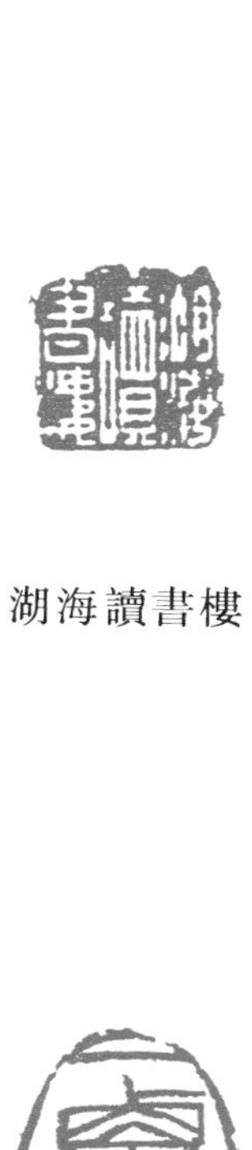

湖海讀書樓

一粟山房

一粟山房

一粟山房

一粟山房

霞中山房

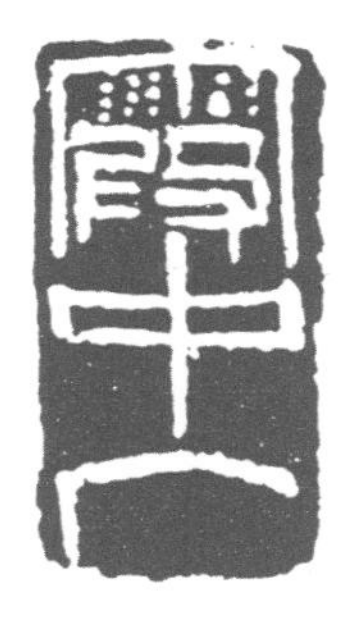

霞中庵

月白山莊

同心并蒂蘭花館

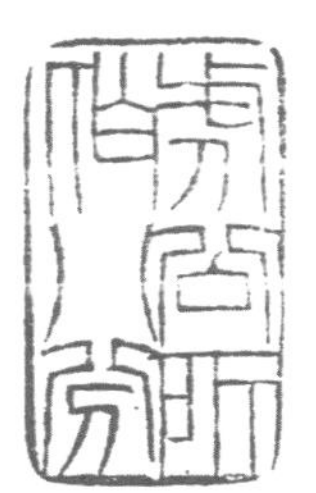

虎公所作八分

虎公之作

祉門所作

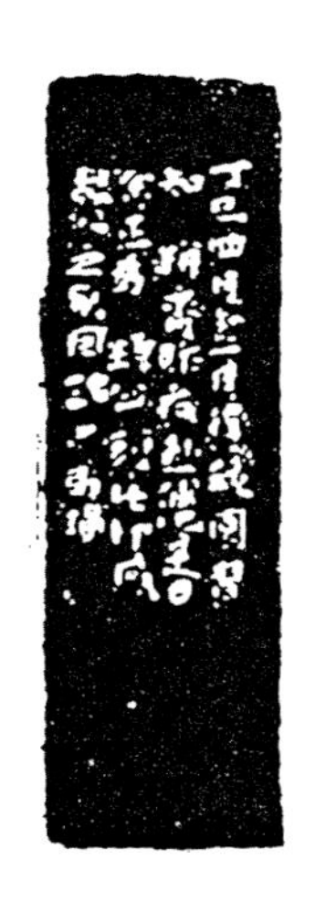

瓶齋書課

耐公五十後作

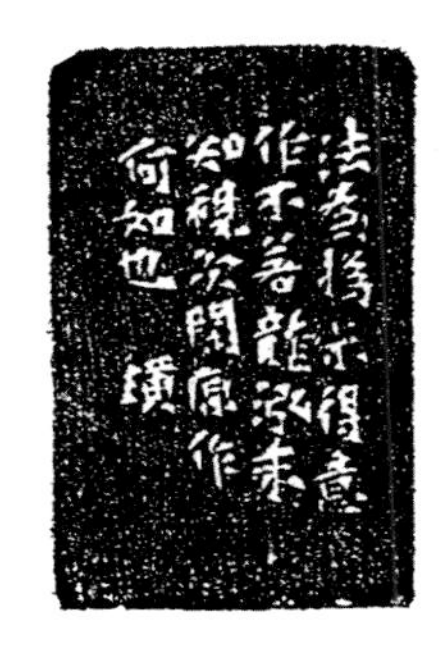

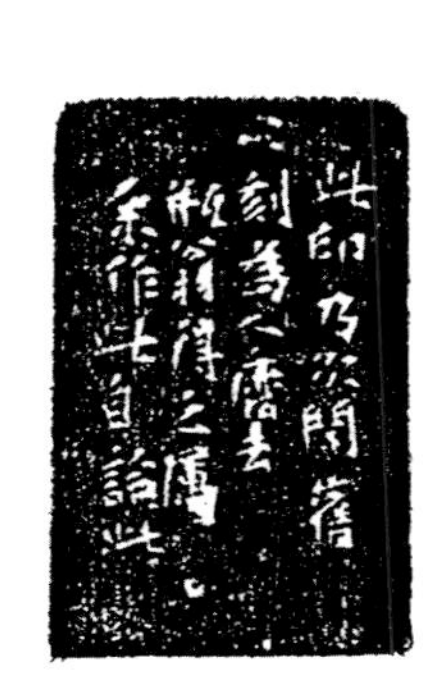

瓶士學篆

治易偶吟

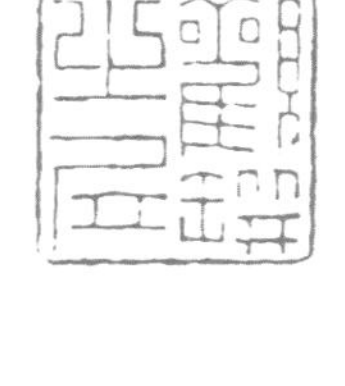

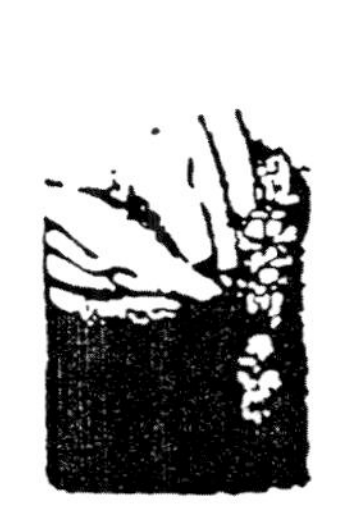

覼瓶之居

觀瓶居讀書記

瓶齋三十以後文字記

夏壽田作誦

壽田六十歲以後作

德居士寫經

任卿校讀

雅翁詞賦

啞公題跋

侍兒直根同賞

小丁畫

許坡翰墨

墨戲

不成畫

不善書

屺瞻寫

李氏翰墨

屺瞻墨戲

屺瞻歡喜

屺瞻墨戲

李氏家風

翰墨神仙

名余曰溥

令聞作畫

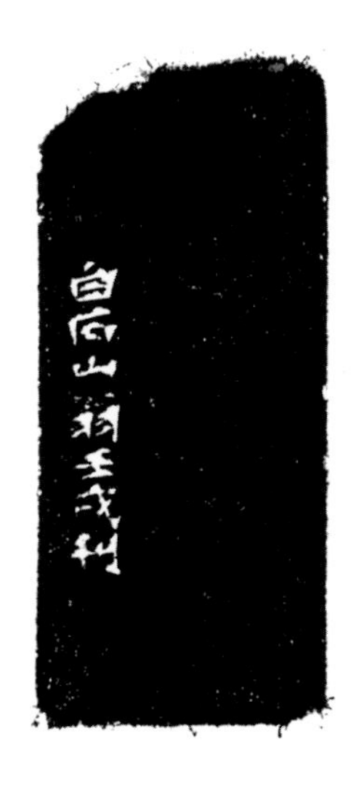

錯公四十後書

松樵書畫

軍餘書畫

劍鳴書畫

蟾農書畫

董揆畫記

若公餘墨

若公自適

仲光四十歲後書

尋常筆意偶見山人之法

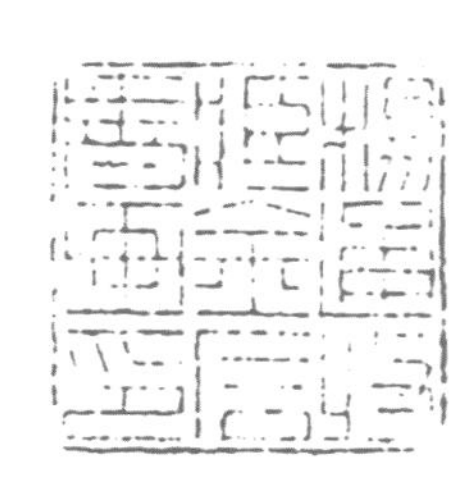

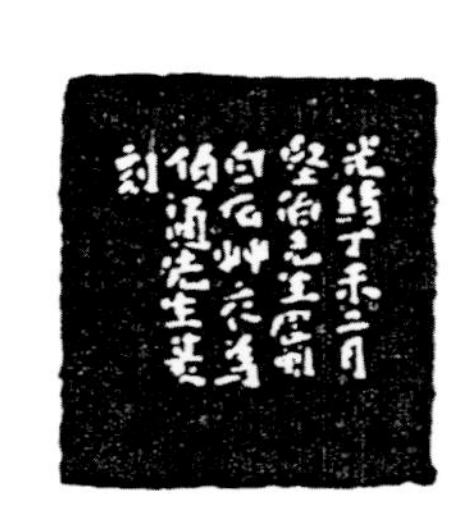

楊通收藏金石書畫印

虎公心賞

曾在虎生處

瓶齋經眼

錦波過目

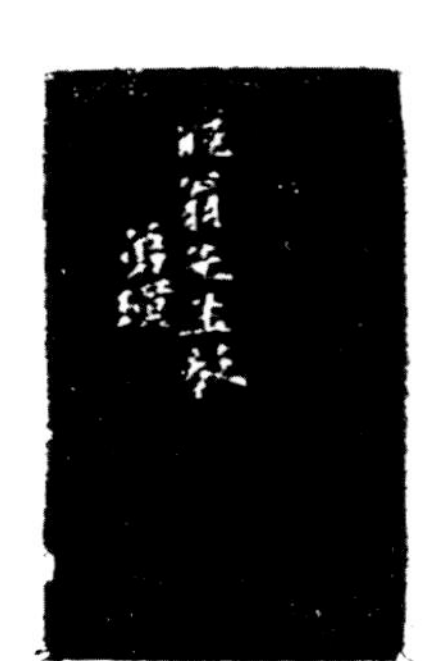

北齋寫經龕

齊氏白常手輯

印樓拓印

謝淵拜觀

謝氏吉金樂石

黔陽謝淵審藏書畫真迹印記

黔陽謝淵收藏秦漢以下金石文字之印

虎生賞鑒金石文字記

湘潭郭人漳世藏書籍金石字畫之印

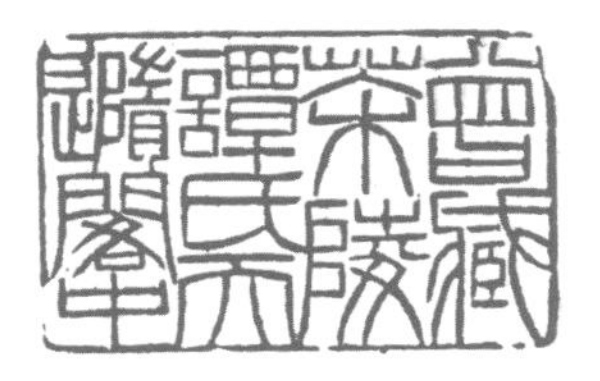

曾藏茶陵譚氏天隨閣中

茶陵譚澤闓欣賞記

誦清閣所藏金石文字

帚廬所得精品

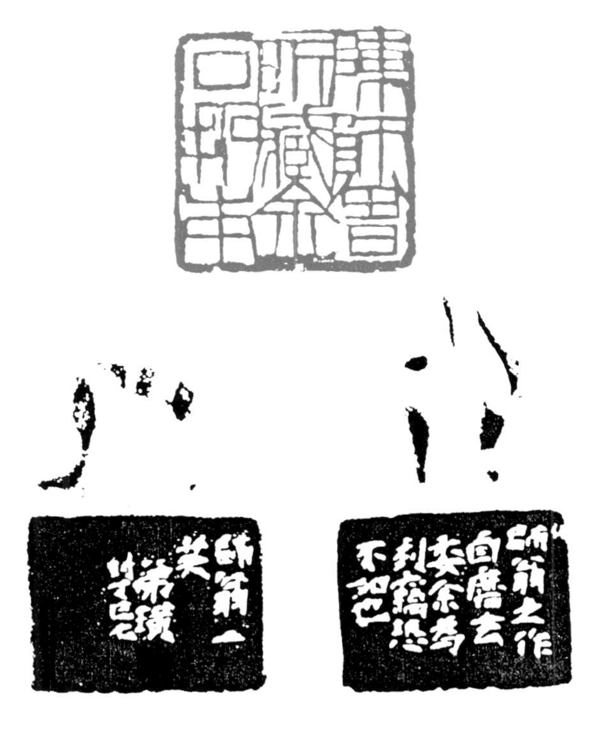

陳師曾所藏金石拓本

志逸讀斷碑記

治易讀造像記

阿潛珍賞

彭椝所藏

德居士藏

曾藏瘦庵

鳳亭珍藏書畫之章

一粟山房珍藏

伯群藏

壯飛眼福

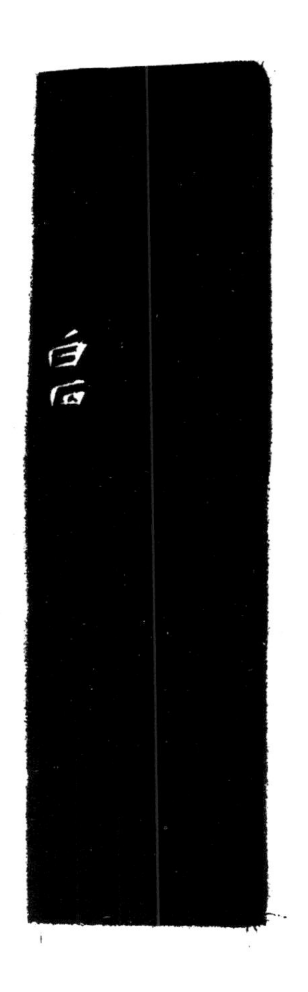

一粟山房金石書畫記

劉果眼福

慧虛鑒賞

慧虛鑒藏

紀常過目

爾績家藏

樹常審定

蔚山考藏

喪志亭玩

桃陰手拓

通庵金石

智謙所藏

治園考藏

敬之鑒藏

治菌鑒藏

治菌藏書

治園讀殘碑記

雨樵審定

之泗金石

仲儒鑒藏

仲欽借看

鐵夫珍藏

興義王氏珍藏

雙佳樓珍藏印

白石坡珍藏章

劍鳴珍藏書畫

劍鳴珍藏書畫

寒山書室印記

六橋藏書

志和藏書

石檜書巢

丁聰藏書

百源書庋

因是子藏書印

余中英藏書印

劉韶仿藏書印

郭氏藏書

鑒

雅子藏印

寅齊藏三代器

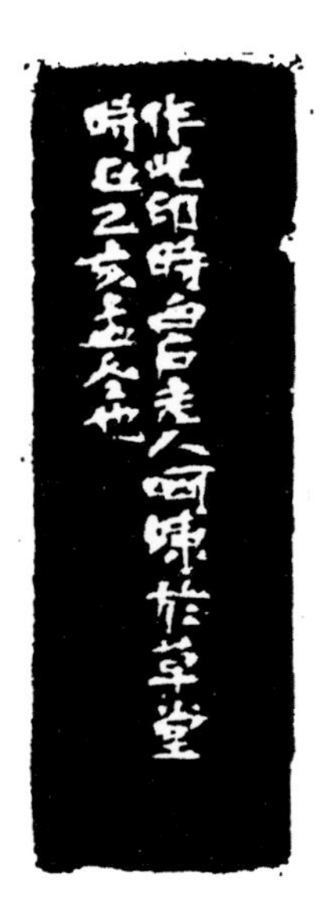

質雅鑒賞

百五鏡印

聚石樓金石文字所拓家傳孤本

萍鄉文氏寅齊寶藏漢熹平周易石經殘碑之印

吉

吉祥

千秋

大壽

人長壽

長壽

人長壽

人長壽

人長壽

長相思

寄思

傲寒

耐歲寒

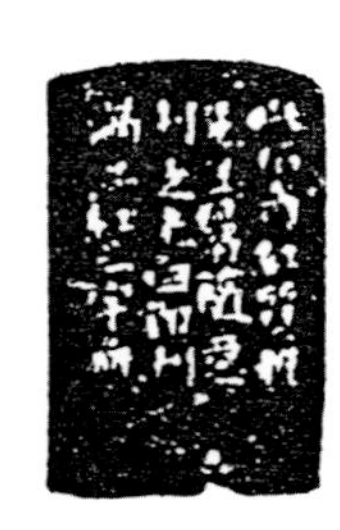

滿江紅

門外人

長年大利

門外人

大可人

大利

長年大利

肝膽照人

稱心而言

實事求是

筆墨消閑

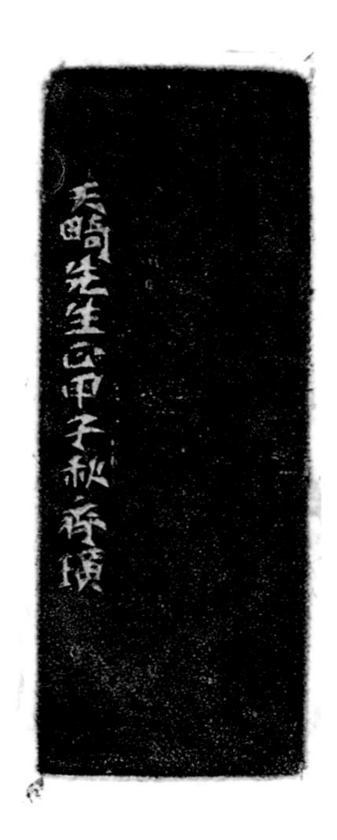

龍興鸞集

簸弄烟雲

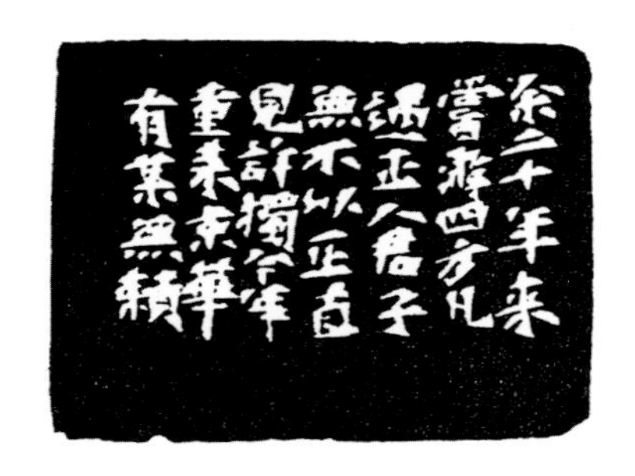

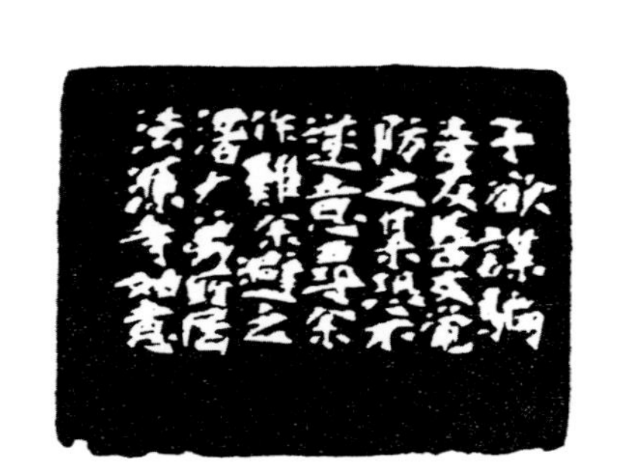

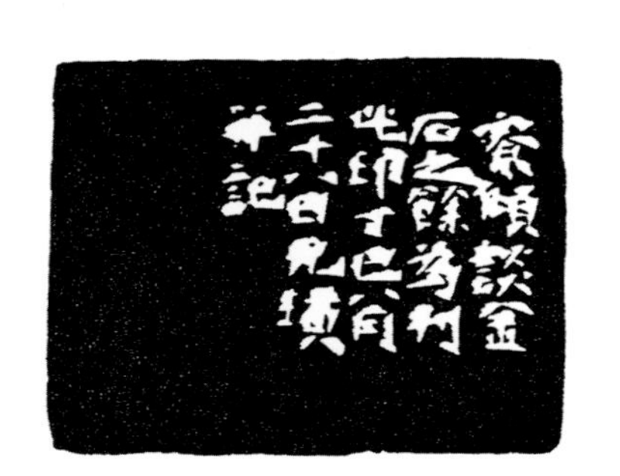

视道如花

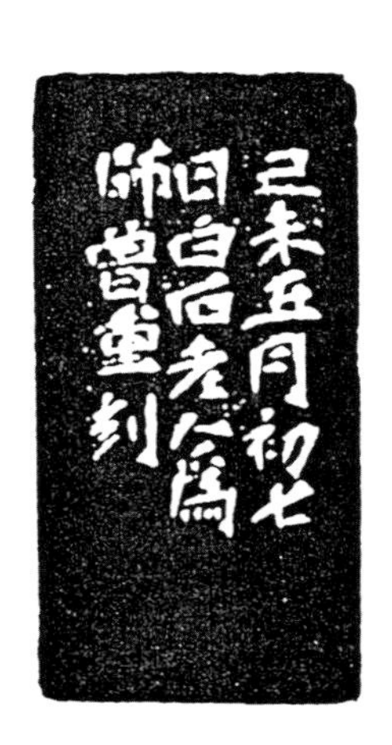

春意闌珊

澹泊寧靜

偷活沈吟

允執厥中

中道而行

中立不倚

寂寞之道

中庸之道

寂寞之道

枕流漱石

自强不息

自我作古

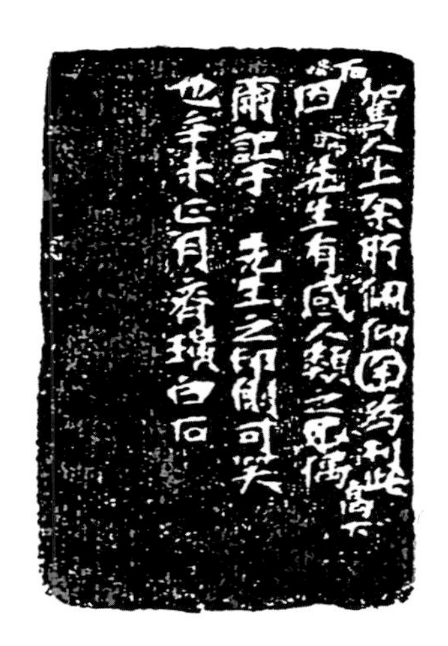

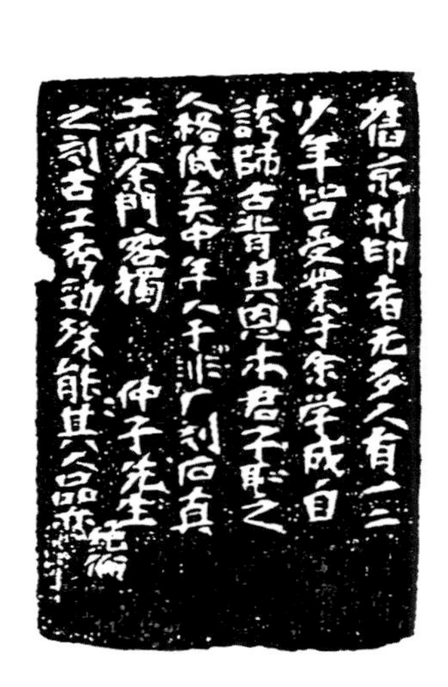

見賢思齊

自有方圓

風花雪月

山外有山

詞家清賞

冰清玉潔
亭亭不倚
(雙面印)

前有古人

斜陽無限

崛彊風霜

清風明月

業荒于戲

金石奇緣

落拓不羈

福壽延年

天涯芳草

天機自得

惜如抱枕

天涯游子

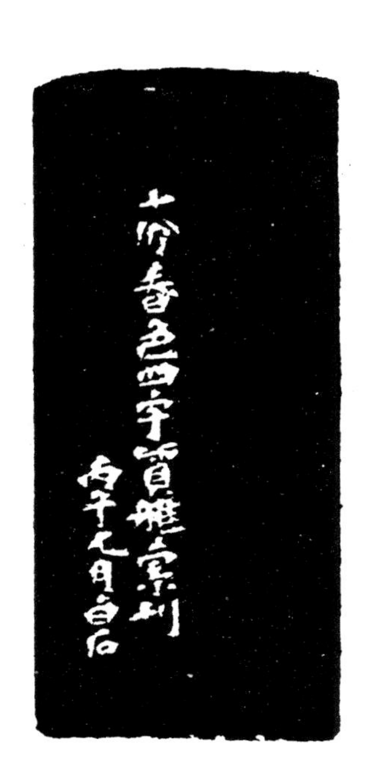

十分春色

十歲成詞

興之所至

興之所至

心游大荒

風吟月和

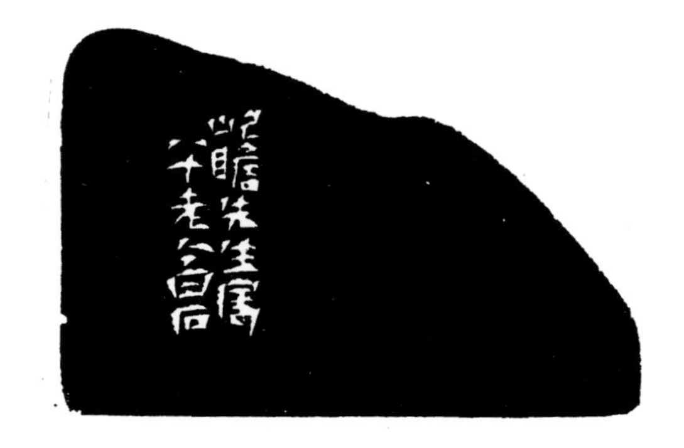

恬澹自適

鴻爪留痕

閑雲野鶴

樂此不疲

閑雲野鶴

貌爲奇古

結習未除

意與古會

寫竹醫俗

墨池清興

遇圓因方

美意延年

人生幾何

何用相思

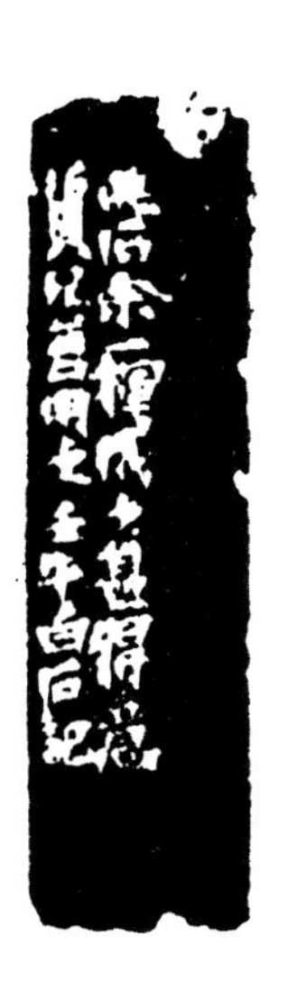

何花不秀

問道于石

苦澹同甘

陽春白雪

屋小如月

萬花如海

博施濟衆

不貪爲寶

黑白分明

古香時艷

釋冰冰釋

善者苦也

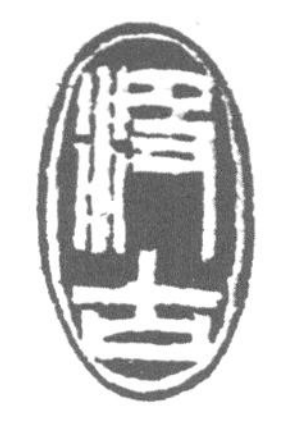

汲古

聖有愚色

痴腸俠骨

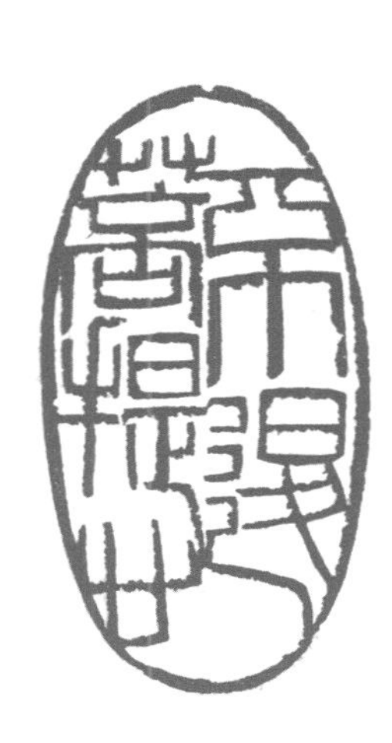

不退菩提心

不可居無竹

問君能有幾多愁

哀窈窕思賢才

疑古

幽寂

弘農

心佛

强項令

令德唱高言

家貧無故業不敢取微官

乞巧前一日生

微風閑坐古松

溯流風天獨寫

誰念為儒處世難

吏隱

夜行

孤舟

生意

人英

無念

無愁

俊陽

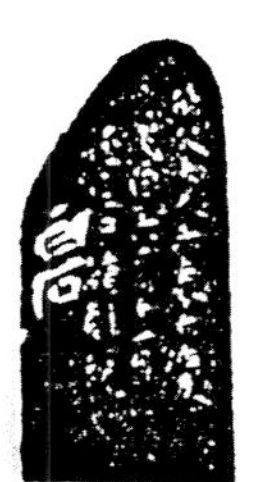

山神

山鬼

變陽

扶蒼

湹陽

無鹽

月舫

少侯

五嶺

中和

同郅

知味

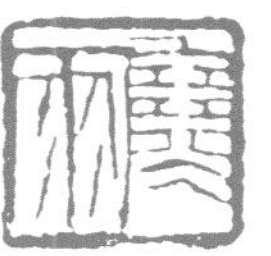

寒雨

寒林

寒枝

雙橋

倉海

桑洲

蘭州

梅馨

老松

梅欄

老草

老麟

四萬

漢印

心印

真人

漁翁

真趣

偶和

偶吟

落紅

落花

真妙

神韻

有神

龍飛

不求

訪樵

江瀚

攻洞

尊
受
（雙面印）

井闢

井塘

佛庵

佛盧

香清

奢石

識真

即興

品外

游戲

師竹

師竹

竹師梅友

師竹

窮不死

存我

古人風

未知遠

老書生

劫餘亭

沐清華

奴心剛

花常好

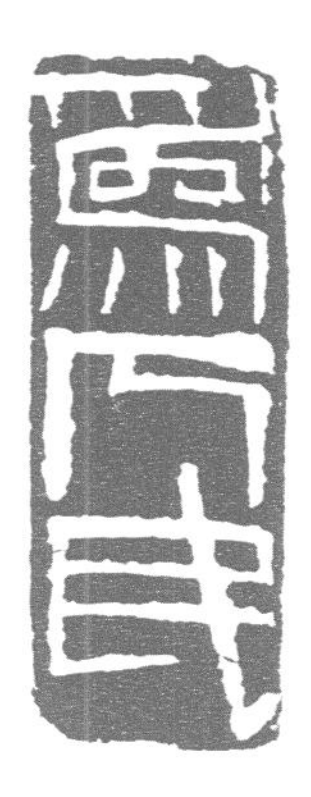

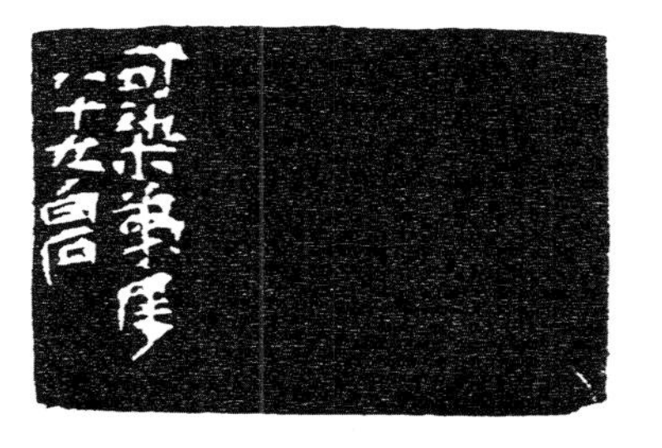

爲人民

爲人民

勇于不敢

學工農

游于藝

三兩竹

開生面

杏花天

新荷葉

歌事遂情

造化師

虚室生白

不逐隊行

爲疾用舒

漁村漁家

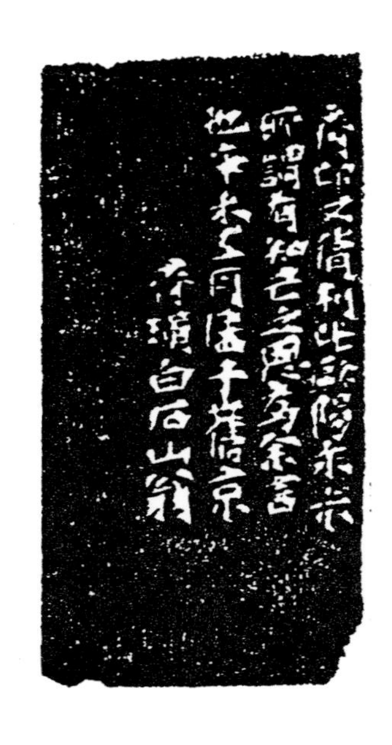

不知有漢

爲山小隱

生長白沙

跛翁虎尾

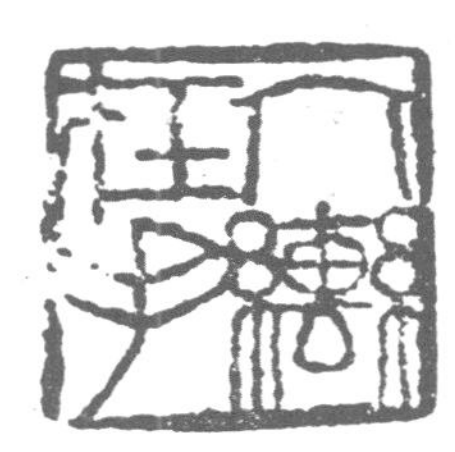

六轡在手

心之所安

心空及弟

桂樹叢生

性剛才拙

苦惱衆生

修竹吾廬

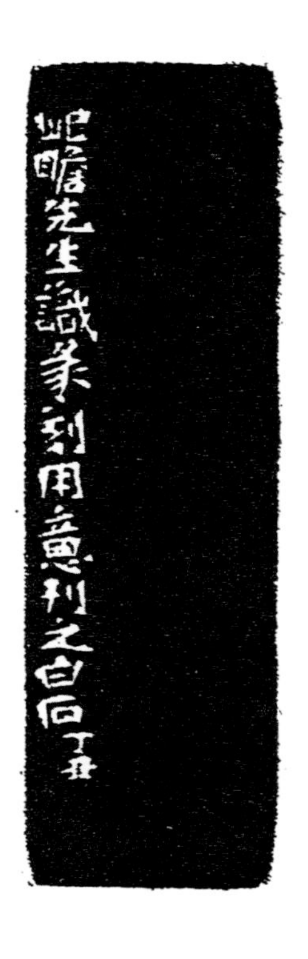

勁節冰霜

不耐入微

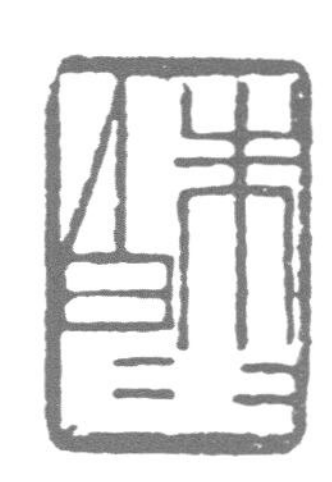

朱朱白白

花草神仙

適我意耳

暫止便去

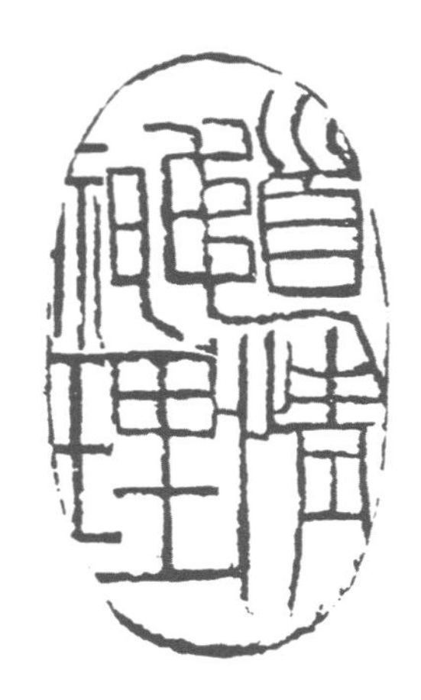

道情神理

萬庵梅花

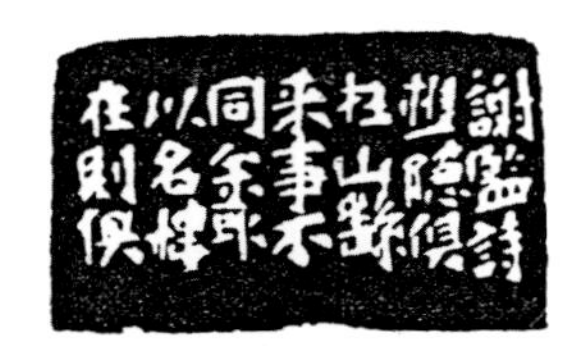

俱在山樓

輔世長民

興不淺也

以畫爲樂

不比往日

潘陽小民

神鬼無功

銳挫塵同

江湖好夢

家在沅水之上

熱愛祖國

疏散是本性

斗室沈醉者

樵山漁水

萬物滄江

農家風味

平澹天真

白眼青天

冰霜可人

妙廬百印

奇石五百

相見有緣

相看兩不厭

笑我石緣

客途所得

大寫自然

知己海客

余笑流俗

餘俗洗盡

我之大成

白心先生一枝筆

梅開日利

平澹

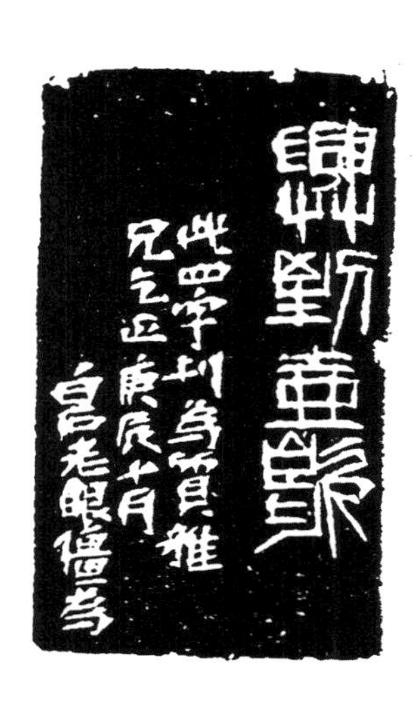

興到壺歇

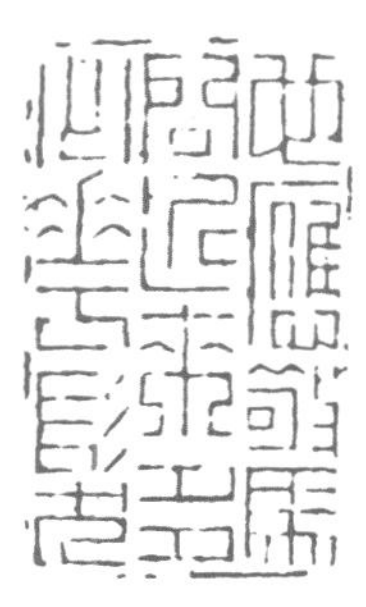

也應驚問近來多少華髮

月華如練長是人千里

浮世除詩盡强名

未知肝膽向誰是

未央磚瓦甲天下

家在龍山貢水間

家在石湖人不到

家在圭峰故里

家在清風雅雨間

家在楊州梨花深處

貫遲作會愛書來

肯信吾兼吏隱名

最憐君想入非非

一夜吹香過石橋

有精神有事業

正直寬平好道場

剛健篤實輝光

牝牡驪黄之外

連山好竹人家

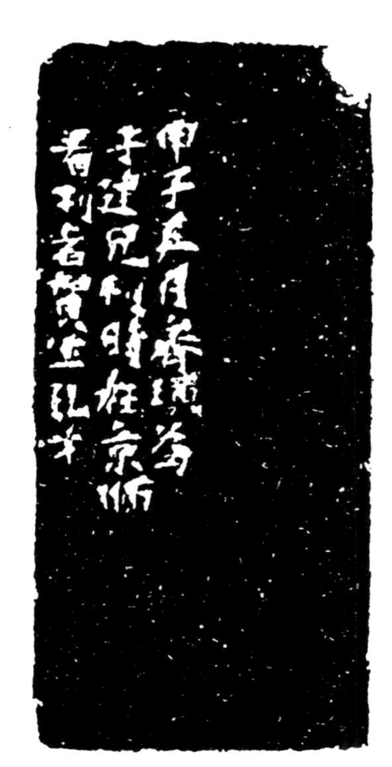

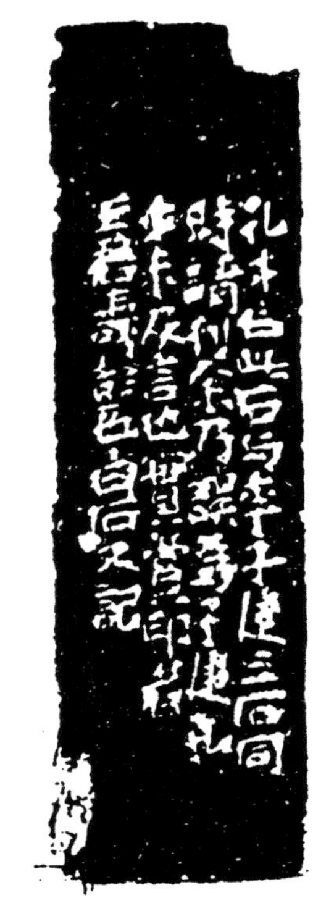

畿南文獻之家

無力正乾坤

大巧必有奇窮

騁望黃金吉室

賢者而後樂此

是以謂之文也

游戲人間四十年

杏花春雨江南

孝經一卷人家

江湖滿地一漁翁

南面王不易

高壓天魔萬二千

回首望長安

奴性不識自賤

獵以我道皆成禽

春光全在杏花紅

形似是末節

一擲千金渾是膽

飲于黃河食于嵩山三送春秋

百樹梨花一樹開

流得清香滿乾坤

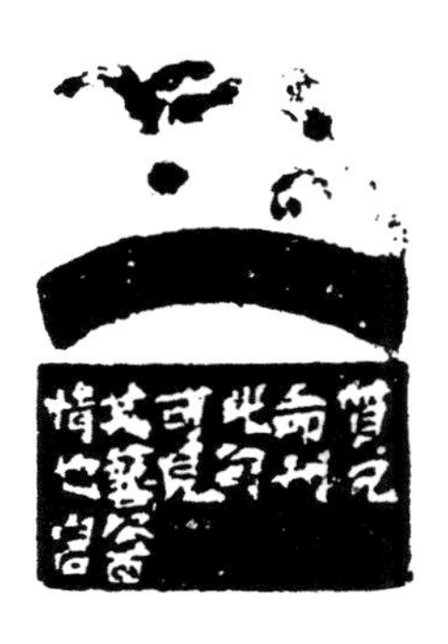

勤于斯斯無分心處

一擲千金渾是膽

過目自適
舊迹難捨
（雙面印）

作宰耒陽後鳳凰一千七百一十五年

曾歸于己怡然自樂

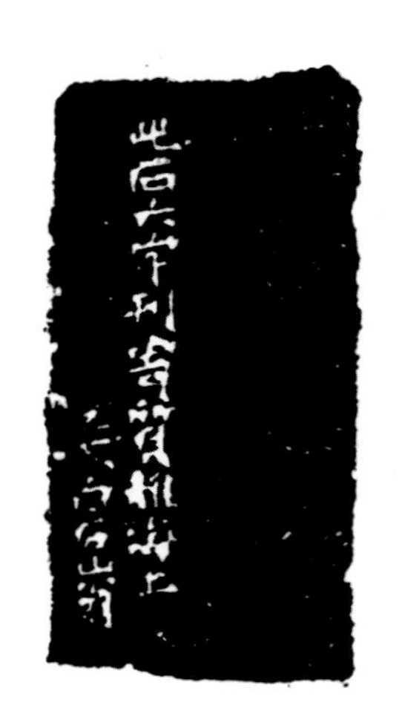

吾有佳石三千

吾書無大家風

小紅初長成

落花本是無情

少翁自適五十年

東風吹柳日初長

師淵明之雅放

雨餘芳草斜陽

此花可煮
前身乃明月
立雪紅顔
何必人離騷
（多面印）

余集秦漢文字
吾吟唐宋詩歌
印崇西泠老手
畫敬明清八家
（多面印）

師淵明之雅放吾不逮學襄陽之敬石我過之
百家石印吾有八九八賢手筆僅居拾一
（雙面印）

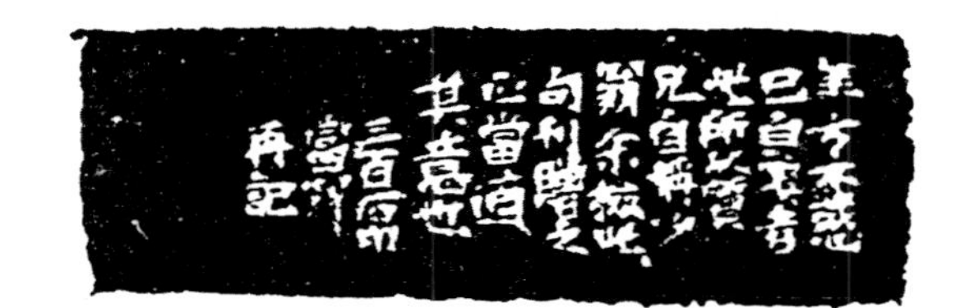

楊柳春風綠岸桃花落日紅酣
三十六陂秋水白頭重到江南
（雙面印）

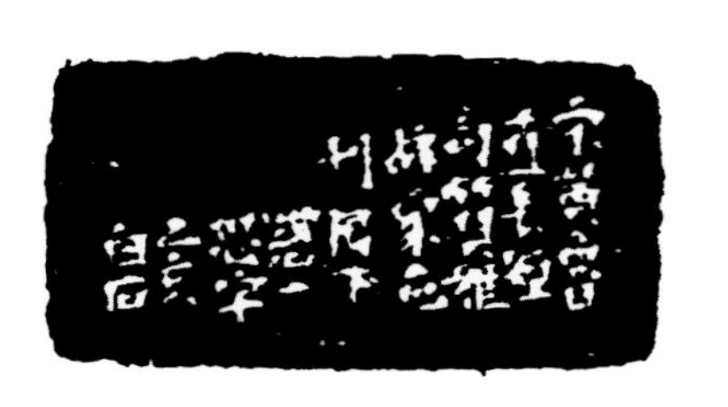

杏花零落燕泥香睡損紅妝寶篆烟銷龍鳳
畫屏雲鎖瀟湘夜寒微透薄羅裳無限量
（雙面印）

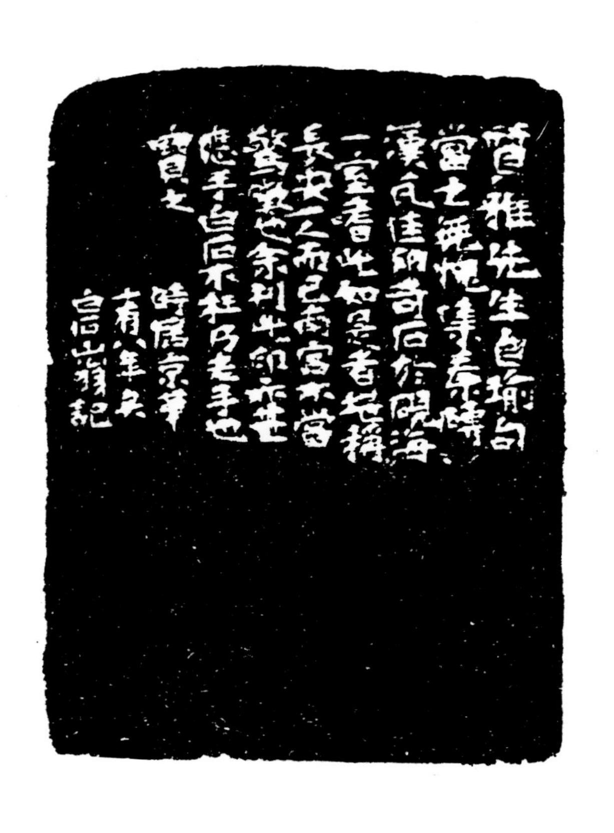

奇石滿一廬佳印集百家米氏當屈指北堂一後主

齊白石印文索引

齊白石印文索引

（以繁體字筆畫排列）

一畫

一家多事 （2方） …… 36
一字頓叟 …… 224
一字黔鐵 （款） …… 224
一闋詞人 （款） …… 30
一粟翁 （2方）（2款） …… 226·227
一粟山房 （4方）（4款） …… 255
一粟山房珍藏 （款） …… 269
一粟山房金石書畫記 （款） …… 269
一息尚存書要讀 …… 53
一夜吹香過石橋 …… 328
一代精神屬花草 （2方） …… 39
一年容易又秋風 …… 41
一擲千金渾是膽 （2方）（款） …… 332·333
一切畫會無能加入 …… 46
一丘一壑自謂過之 （款） …… 62
一襟幽事砌蛩能説 （款） …… 39
一別故人生百憂·齊璜·瀕生·相思·頻生齊氏 （多面印） …… 6
乙亥 …… 67
乙丑始畫 …… 67

二畫

又任 …… 146
十分春色 （款） …… 289
十歲成詞 （款） …… 289
二莊主人 …… 231
丁丑 …… 67
丁超 （款） …… 131
丁聰 （款） …… 131
丁聰藏書 （款） …… 275
丁恪之印 …… 131
丁巳劫灰之餘 …… 47
人英 …… 299
人長壽 （4方）（款） …… 278·279
人生幾何 （款） …… 292
七十以後 （款） …… 63
七三翁 …… 63
七十三歲後鐫 …… 64
七三老婦八千里 …… 68
七四翁 …… 64
七五衰翁 （款） …… 64
七八衰翁 …… 64
七九衰翁 …… 64
八硯樓 …… 25
八十歲應門者 …… 63
九十二翁 …… 66
九九翁 （2方）（2款） …… 66

三畫

于 （2方） …… 146
于本同 …… 146
土筆居 …… 208
夕紅樓 …… 252
之初 …… 183
之泗金石 （款） …… 272

千秋 …… 277
小逸 …… 97
小謝 …… 84
小丁畫 （款） …… 259
小田印 …… 210
小川平吉 …… 213
小名阿芝 …… 4
小室貞印 …… 215
小室翠雲 …… 214
小紅初長成 （款） …… 334
大千 …… 105
大羽 （款） …… 194
大利 （款） …… 281
大壽 （款） …… 278
大可人 （款） …… 280
大無畏 …… 35
大匠之門 （2方） （款） …… 35
大寫自然 （款） …… 323
大冶祥金 …… 213
大巧必有奇窮 …… 329
乞巧前一日生 …… 297
乃翁過目 …… 41
山鬼 …… 300
山神 （款） …… 299
山水樓 …… 253
山台居士 …… 224
山惇吉印 …… 214
山外有山 （款） …… 285
山姬帶病相扶持 …… 49
三餘 （款） …… 34
三兩竹 （款） …… 312
三樂堂 …… 241
三知堂 …… 242
三讓堂 …… 240
三硯齋 （款） …… 248
三百石印齋 …… 24
三百石印富翁 （款） …… 24
三千門客趙吴無 …… 53
子長 （2方） （2款） …… 73
子和 …… 186
子楠 …… 187
子樵 …… 187
子鶴 …… 90
子如 （2方） …… 71·72
子如詩書畫記 …… 72
子如賞鑒金石文字記 …… 72
也曾卧看牛山 …… 47
也應驚問近來多少華髮 …… 325

四畫

水 …… 79
井闌 …… 307
井塘 （款） …… 307
友石 …… 237
介石 …… 130
元冲 …… 98
公甫 …… 176
公魚 （款） …… 176
丹山 …… 188
丹宇 …… 204
什麽廬 …… 249
牛嶺先 …… 169
允執厥中 …… 283
文夫 （2方） …… 181
文瑗 …… 181
文秦 …… 182

文素松印（款）…… 162
仁者壽（款）…… 42
方嚴（款）…… 146
方洺印信 …… 146
止莊主人 …… 230
父子合作 …… 41
内堀維文 …… 213
天畸（款）…… 89
天外村人 …… 235
天機自得 …… 288
天柱山民 …… 234
天恩老人 …… 235
天涯芳草 …… 288
天涯游子 …… 288
天涯亭過客 …… 54
王之 …… 109
王淮 …… 109
王惕 …… 109
王容 …… 110
王大章（款）…… 110
王白與 …… 110
王士燮 …… 110
王光輝 …… 111
王朝聞 …… 111
王兆均 …… 111
王守信 …… 111
王道遠 …… 111
王若波 …… 111
王妙如 …… 112
王纘緒 …… 116
王恩士 …… 112
王國楨 …… 113
王嵰農 …… 113
王大寅印 …… 113
王氏汲父 …… 113
王文彦印 …… 114
王寧度印 …… 114
王永樹印（款）…… 114
王執誠印 …… 114
王伯群印（2方）…… 114
王伯湖印（款）…… 115
王柱宇印 …… 115
王秉信印 …… 115
王澤寬印 …… 115
王樹常印 …… 115
王慈博印 …… 115
王毓芝印（2方）…… 116
王纘緒印 …… 116
王樊先去天留齊大作晨呈 …… 37
心印 …… 304
心佛 …… 297
心耿耿 …… 40
心内成灰 …… 40
心之所安 …… 315
心無妄思（款）…… 29
心空及弟（款）…… 315
心游大荒（款）…… 290
心與身為仇 …… 55
不求 …… 306
不善書 …… 260
不成畫（款）…… 260
不知有漢（款）…… 314
不貪為寶 …… 294
不逐隊行 …… 314
不耐入微（款）…… 317
不比往日 …… 319

不退菩提心 （款） …………………… 295
不可居無竹 （款） …………………… 296
斗漱室 …………………… 245
斗室沈醉者 …………………… 320
六轡在手 …………………… 315
六橋藏書 …………………… 274
六十白石印富翁 （款） …………………… 240
少武 …………………… 196
少侯 …………………… 301
少卿内史 …………………… 233
少翁自適五十年 （款） …………………… 335
木人 （3方） （2款） …………………… 16
木公 …………………… 16
木居士 （4方） （2款） …………………… 16·17
木居士記 （3方） …………………… 5·17
木以不材保其天年 …………………… 60
太倉人 （款） …………………… 227
太平華館 （款） …………………… 250
太平無事不忘君恩 …………………… 33
中和 …………………… 301
中庸之道 （款） …………………… 284
中道而行 …………………… 283
中立不倚 …………………… 283
中華良民也 …………………… 60
中國長沙湘潭人也 …………………… 29
今來古往 …………………… 219
以畫為樂 …………………… 319
以農器譜傳吾子孫 …………………… 58
月舫 …………………… 300
月白山莊 …………………… 256
月華如練長是人千里 （款） …………………… 326
五嶺 …………………… 301
五福堂 …………………… 241
五石堂·朽木不折 （雙面印） …………………… 241
五十以後始學填詞記 …………………… 30

五畫

本 …………………… 80
丙子 （款） …………………… 67
甲戌 …………………… 67
申伯 …………………… 186
可亭 （2方） （款） …………………… 190
弘農 …………………… 297
必藩 …………………… 181
玉成 …………………… 176
玉芝館 …………………… 249
石年 …………………… 176
石安 …………………… 189
石農 …………………… 176
石冥 …………………… 182
石帚 …………………… 176
石癖 …………………… 225
石墨居 …………………… 251
石檜書巢 …………………… 274
石癖·五陵少年 （雙面印） …………………… 239
永啟 …………………… 180
半聾 （款） …………………… 27
半聾樓 …………………… 254
半瓦齋 …………………… 247
生意 （款） …………………… 299
生長白沙 …………………… 315
四萬 …………………… 304
四不怕者 （款） …………………… 60
丘振豫印 …………………… 162
印奴 …………………… 225
印樓拓印 …………………… 265

冬嶺樵人 …… 233
令聞作畫 …… 262
令德唱高言 …… 297
玄圃 …… 190
北堂 （款） …… 242
北江 …… 140
北城沙門 （款） …… 240
北齋寫經龕 …… 265
世譽不足慕 …… 47
功名一破甑 …… 47
古人風 …… 310
古我氏 （款） …… 240
古寺山僧 …… 234
古之愚也 （款） …… 34
古香時艷 …… 294
古龍標人 …… 229
古潭州人 （3方） …… 28
古潭州漁人 …… 28
古之百里魚 …… 223
古風今雨之齋 …… 249
奴心剛 …… 311
奴性不識自賤 …… 331
戊午後以字行 …… 32
正本直彦 …… 212
正法眼藏 …… 218
正修·籀園 （雙面印） …… 208
正直寬平好道場 …… 328
未知遠 …… 310
未知肝膽向誰是 …… 326
未央磚瓦甲天下 …… 326
田八 …… 210
田孝 …… 210
田氏伯施 …… 165
白珩 …… 83
白蘋 …… 83
白峰 …… 83
白心 …… 94
白心翁 （2方） …… 222
白西大 …… 83
白雲居 …… 252
白心先生一枝筆 …… 324
白石 （6方） …… 14·15
白石見 …… 21
白石翁 （8方） （4款） …… 10·11
白石草衣 …… 11
白石草堂 …… 25
白石三復 …… 20
白石四子 （款） …… 74
白石老人 …… 16
白石山人 （款） …… 15
白石後人 （款） …… 73
白石門人 …… 77
白石弟子 （2方） （款） …… 76·77
白石之徒 …… 77
白石許可 …… 21
白石吟屋 …… 21
白石言事 …… 19
白石私記 …… 15
白石印記 …… 15
白石之記 …… 14
白石長女 …… 71
白石之妻 …… 68
白石畫蟲 （款） …… 19
白石相贈 （款） …… 19
白石造化 …… 20
白石造稿 （款） …… 19

白石題跋（4方）（款）…………………… 20
白石篆字（款）……………………………… 21
白石賞心 …………………………………… 19
白石曾見 …………………………………… 19
白石第十二孫（款）………………………… 76
白石老年自娱 ……………………………… 52
白石老年賞鑒 ……………………………… 52
白石坡珍藏章 ……………………………… 273
白石翁·老平（雙面印）（款）…………… 8
白石孫子·齊秉靈印（雙面印）………… 76
白石假看·萍翁假讀·知我只有梅花（多面印）………………………………………… 8
白林孤客 …………………………………… 232
白洋舟子 …………………………………… 118
白眼青天 …………………………………… 321
白眼看它世上人 …………………………… 32
平 …………………………………………… 13
平翁（2方）……………………………… 12·13
平助（款）………………………………… 215
平澹（款）………………………………… 325
平澹天真（款）…………………………… 321
平園主人 …………………………………… 231
平生辛苦 …………………………………… 36

六畫

死 …………………………………………… 101
吉（款）…………………………………… 277
吉祥 ………………………………………… 277
吏隱 ………………………………………… 298
宇澄 ………………………………………… 195
芋樵 ………………………………………… 196
成武 ………………………………………… 175
夷齋 ………………………………………… 247
再生 ………………………………………… 29
存我（款）………………………………… 310
曲園 ………………………………………… 237
舟虚 ………………………………………… 193
伊東 ………………………………………… 209
企南 ………………………………………… 186
汛親 ………………………………………… 180
光明（款）………………………………… 70
光明堂 ……………………………………… 70
芝（款）…………………………………… 3
仲文 ………………………………………… 188
仲方 ………………………………………… 187
仲光 ………………………………………… 188
仲華 ………………………………………… 187
仲實 ………………………………………… 187
仲鳴 ………………………………………… 187
仲欽 ………………………………………… 204
仲常（款）………………………………… 154
仲儒 ………………………………………… 188
仲儒鑒藏 …………………………………… 273
仲欽借看 …………………………………… 273
仲光四十歲後書 …………………………… 263
戎馬書生（款）…………………………… 230
次驊長壽 …………………………………… 208
朱（6方）（6款）……………………… 112·122
朱·朱（雙面印）………………………… 122
朱·子訓（雙面印）……………………… 122
朱屺瞻（2方）（2款）………………… 123
朱家璠（蟠）……………………………… 126
朱增鈞（款）……………………………… 123
朱增鈞印（款）…………………………… 123
朱朱白白（款）…………………………… 317
朱瓊英印 …………………………………… 127

朱延昰印 …… 127
朱驌君允 …… 127
臣璜之印 …… 3
臣璜私印 …… 3
臣淵私印 …… 84
臣淵印信 …… 84
臣鈞又名曰政 …… 94
屺瞻（9方）（9款） …… 124·125·126
屺瞻寫 …… 260
屺瞻墨戲（2方）（2款） …… 261
屺瞻歡喜（款） …… 261
竹銘 …… 185
竹橋 …… 185
竹陰館 …… 249
竹内西鳳 …… 216
竹内文庫（2方） …… 219
竹師梅友（款） …… 309
任 …… 79
任卿校讀 …… 259
自乾 …… 193
自青榭 …… 251
自强不息 …… 284
自我作古 …… 284
自有方圓（款） …… 285
字曰德鄰 …… 205
汗淋學士 …… 31
如流 …… 178
如來弟子 …… 76
回首望長安 …… 331
老木 …… 17
老苹（2方） …… 18
老壽 …… 42
老白（3方）（2款） …… 18
老齊（款） …… 17
老草（款） …… 303
老雪 …… 226
老彭 …… 153
老松 …… 303
老麟（款） …… 303
老書生 …… 310
老齊郎（款） …… 17
老齊經眼 …… 23
老苹有子 …… 41
老苹曾見 …… 21
老萍手段 …… 22
老手齊白石 …… 22
老年肯如人意 …… 46
老為兒曹作馬牛（款） …… 57
老去無因啞且聾 …… 61
老豈作羅下獼猴（2方） …… 61
老年流涕哭樊山 …… 36
老眼平生空四海 …… 56
老夫也在皮毛類（款） …… 33
有神 …… 306
有衣飯之苦人 …… 57
有情者必工愁（款） …… 44
有眼應識真偽（款） …… 63
有精神有事業 …… 328
因是子藏書印 …… 275
牝牡驪黄之外 …… 328
西氏 …… 216
西鳳（8方） …… 216·217·218·219
西鳳不死 …… 218
西山風日思君（款） …… 38
西山如笑笑我邪 …… 58
西山雖在亦堪憐 …… 58

江瀚 …………………………………… 306
江陰士人 ………………………………… 233
江南布衣 ………………………………… 36
江南黎五 ………………………………… 90
江湖好夢 ………………………………… 320
江湖滿地一漁翁 ………………………… 330
百崎 …………………………………… 209
百崎辰雄 ………………………………… 209
百五鏡印 （款） ………………………… 276
百源書宬 ………………………………… 275
百一碩齋 ………………………………… 248
百怪來我腸 ……………………………… 52
百戰有完身 ……………………………… 52
百樹梨花主人 …………………………… 57
百樹梨花一樹開 （款） ………………… 332
同郅 （款） ……………………………… 301
同心并蒂蘭花館 ………………………… 256
行年七十三 ……………………………… 64
行年八十三矣 （款） …………………… 65
行高于人衆必非之 ……………………… 51
冰庵 …………………………………… 226
冰霜可人 （款） ………………………… 322
冰清玉潔·亭亭不倚 （雙面印）（款） …… 286
名余曰溥 ………………………………… 262
名余曰璜字余曰頻生 …………………… 5
安彦英三 ………………………………… 212
年九十 （款） …………………………… 66
年八十九 ………………………………… 66
年八十五矣 （款） ……………………… 65
年八十六矣 （款） ……………………… 65
年高身健不肯做神僊 …………………… 63
此君亭 …………………………………… 252
此心唯有斷雲知 ………………………… 48
此花可煮·前身乃明月·立雪紅顔·何必人離騷 （多面印）（款） …………………… 336

七畫

沛生 …………………………………… 203
汲古 …………………………………… 295
沙園 …………………………………… 237
沙漚 （款） ……………………………… 173
沈二 …………………………………… 82
芷清 …………………………………… 185
扶蒼 …………………………………… 300
攻洞 …………………………………… 307
即興 （款） ……………………………… 308
冷庵 （2方） …………………………… 225
佑宸 …………………………………… 202
作人 （款） ……………………………… 135
良平 …………………………………… 75
良遲 （款） ……………………………… 73
良琨 （2方） …………………………… 71
良年 （款） ……………………………… 75
杜忱 （2方） …………………………… 144
杜門 （款） ……………………………… 43
杜之紳 ………………………………… 144
杜老德 ………………………………… 144
克羅多 ………………………………… 172
沐清華 ………………………………… 311
宋振渠 ………………………………… 168
劫餘亭 ………………………………… 311
劭平 （2方） …………………………… 159·160
伯群藏 ………………………………… 269
辛巳 …………………………………… 68
辛卯甲午 ……………………………… 68
汪申 …………………………………… 132

汪吉麟印（2方）…… 133
汪止麟印 …… 133
汪申之印 …… 132
汪申伯印 …… 133
汪瑞闓印 …… 133
汪詒書印 …… 133
但懋辛印（款）…… 160
折田翠村 …… 211
肝膽照人 …… 281
近藤氏印 …… 211
尾形清印 …… 212
考槃在澗（款）…… 219
見賢思齊（款）…… 285
壯飛眼福 …… 269
谷正倫印 …… 163
妙廬百印（款）…… 322
李 …… 117
李静 …… 117
李杭 …… 117
李介如（2方）…… 117
李宗理 …… 117
李智超 …… 118
李白珩 …… 118
李達群 …… 118
李德群 …… 118
李英之印 …… 118
李宗弼印 …… 120
李氏經輿 …… 119
李氏苦禪 …… 119
李氏家風（款）…… 261
李氏翰墨 …… 260
李書華印 …… 120
李文斂印 …… 120
李仲公印（款）…… 120
李如常印 …… 121
李宏鋸印 …… 121
李楝臣印 …… 121
李曉塵印 …… 121
李容汶印 …… 121
李乾三印 …… 121
何海波 …… 159
何用余憂（款）…… 40
何用相思 …… 292
何要浮名 …… 43
何花不秀（款）…… 293
何佩容印 …… 159
何紹韓印 …… 159
何鍵之印 …… 159
佛來 …… 76
佛庵 …… 307
佛廬 …… 307
佛弟子東明 …… 143
形似是末節 …… 332
吴子亭 …… 139
吴先亭（款）…… 139
吴闓生印 …… 140
吴晉夒字一庵 …… 140
志青 …… 174
志熙（款）…… 89
志和藏書（款）…… 274
志潭蠡父之章 …… 206
志逸讀斷碑記 …… 267
孝友堂（款）…… 243
孝經一卷人家 …… 330
花民 …… 194
花常好（款）…… 311

花草神仙 …… 317
花未全開月未圓 …… 60
花章 …… 202
君壁 …… 142
君襄 …… 199
君子之量容人 …… 53
身健窮愁不須耻 …… 30
我之大成（款） …… 324
我自作我家畫 …… 43
我自疏狂异趣 …… 54
我書意造本無法 …… 54
我生無田食破硯 …… 30
我負人人當負我（款） …… 55
私淑何人不昧恩 …… 55
言語道斷心行處滅 …… 49
吾狐也（款） …… 41
吾友梅花 …… 30
吾少清平（款） …… 50
吾道西行 …… 50
吾道何之 …… 49
吾惜分陰 …… 50
吾儕閑草木 …… 50
吾奴視一人 …… 61
吾年八十矣 …… 65
吾年八十二矣（款） …… 65
吾年八十七矣 …… 65
吾年八十八（款） …… 66
吾草木衆人也 …… 54
吾家衡岳山下 …… 50
吾有佳石三千（款） …… 334
吾幼挂書牛角 …… 33
吾書無大家風（款） …… 334
吾畫遍行天下僞造居多 …… 51
吾畫遍行天下蒙人僞造尤多 …… 51
作宰耒陽後鳳凰一千七百一十五年 …… 333
余 …… 148
余仁之印 …… 148
余中英印（2方） …… 148
余中英藏書印 …… 275
余集秦漢文字·吾吟唐宋詩歌·印崇西泠老手·畫敬明清八家（款）（多面印） …… 336
杏花天（款） …… 313
杏語館主 …… 231
杏子塢老民（款） …… 27
杏花春雨江南 …… 330
杏花零落燕泥香睡損紅妝寶篆烟銷龍鳳·畫屏雲鎖瀟湘夜寒微透薄羅裳無限量（款）（雙面印） …… 338

八畫

卓爾 …… 177
延闓 …… 86
居正 …… 189
竺生 …… 175
狙公 …… 202
狗子 …… 184
泱漠 …… 173
泡翁 …… 102
範卿（款） …… 108
孟真 …… 199
空山 …… 183
空僧 …… 183
季高 …… 180
季尚 …… 196
季端父 …… 170
佳兵室 …… 211

武内氏 …… 210
邵 …… 97
邵一萍 …… 97
邵小逸 …… 97
邵墨田 …… 98
邵元冲（2方） …… 97·98
佩衡 …… 99
佩芬 …… 173
佩鈴人 …… 42
佩衡之印 …… 99
青萍 …… 186
青琳館 …… 249
青雲閣主 …… 231
阿芝（5方）（2款） …… 4·9
阿怕（3方） …… 222·223
阿羅巴 …… 172
阿潛珍賞（款） …… 268
松年 …… 195
松樵書畫 …… 262
枕流漱石 …… 284
枕善而居（款） …… 31
林衛音 …… 137
林風眠 …… 136
林風眠印（2方） …… 136
若衡（2方） …… 193
若公自適（款） …… 263
若公餘墨（款） …… 263
英 …… 119
英雄之印 …… 214
其犖之印 …… 205
郁風 …… 166
叔子 …… 95
叔度讀書 …… 96
叔度長年 …… 96
味無味齋 …… 248
易端漱平 …… 212
祉門所作 …… 257
夜行 …… 298
夜雪吟館 …… 249
性仁 …… 175
性剛才拙 …… 316
長壽 …… 278
長相思 …… 279
長年大利（2方） …… 280·281
長白山農 …… 234
金三 …… 166
金石年 …… 30
金井清 …… 211
金石奇緣（款） …… 287
金城之印 …… 166
周懋 …… 134
周君素 …… 135
周作人 …… 134
周作人印 …… 134
周君素印 …… 135
周傳經印 …… 135
周大文印 …… 135
周震鱗印 …… 135
周磐之印 …… 136
宗蕃（款） …… 167
孤杉 …… 197
孤舟（款） …… 298
孤雲意無春 …… 31
受恩慎勿忘 …… 47
往事思量著（款） …… 38
帚廬 …… 250

帚廬所得精品 …… 267
亞傑 （款） …… 191
和父 …… 183
和田正修之章 …… 216
治易偶吟 …… 257
治薗鑒藏 …… 272
治薗藏書 …… 272
治園考藏 …… 271
治園延年 …… 116
治園讀殘碑記 …… 272
治易讀造像記 …… 267
直支 …… 179
直魯豫巡閱使 （3方） （款） …… 128·129·129
雨巖 …… 195
雨翁 （款） …… 188
雨餘芳草斜陽 …… 335
兩耳唯于世事聾 …… 59
兒女冤家 …… 56
兒輩不賤家鷄 …… 58
苦白 …… 42
苦禪 （2方） …… 119
苦惱衆生 …… 316
苦澹同甘 …… 293
苦吟一似寒蛩號 …… 56
門外人 （2款） …… 280
門人半知已 …… 44
門人知已即恩人 …… 44
東官劉氏 …… 142
東山草堂 （3方） …… 243·244
東山山下是吾家 …… 48
東風吹柳日初長 …… 335
苹翁 （5方） （2款） …… 4·12·13
苹翁嘆賞 …… 22
苹翁管領字畫 …… 22
苹翁得見有因緣 …… 45
肯信吾兼吏隱名 …… 327
非翟 …… 191
非兒 （款） …… 75
虎 …… 221
虎公 （2方） …… 221
虎生 …… 221
虎生父 …… 221
虎生行一 …… 93
虎公心賞 …… 264
虎公之作 …… 256
虎威上將軍 …… 128
虎公所作八分 …… 256
虎巽一字默庵 …… 85
虎生賞鑒金石文字記 …… 266
定遠齋 …… 246
侍兒直根同賞 …… 259
知味 …… 301
知白守黑 …… 40
知已有恩 （款） …… 36
知已海客 （款） …… 324
知默居士 …… 224
知足勝不祥 …… 52
奇石五百 （款） …… 322
奇石滿一盧佳印集百家米氏當屈指北堂一後主（款） …… 338

九畫

彥夫 …… 195
重三 （款） …… 42
洧君 …… 185
俊陽 …… 299

癸酉 …… 67
癸未（款） …… 68
信恒 …… 184
貞甫 …… 180
則敬 …… 178
祖庵 …… 224
幽寂 …… 297
亭瑞 …… 199
玲明 …… 198
品外（款） …… 309
省廬（款） …… 250
厚同父 …… 171
保稚堂（2方） …… 242
姚應釗印 …… 168
建昌馬 …… 171
帥名初 …… 171
紀鉅良（款） …… 168
紀常過目 …… 270
姜乃臨 …… 170
姜殊文印 …… 164
勇 …… 80
勇五 …… 203
勇于不敢 …… 312
秋士 …… 167
秋風紅豆 …… 32
香清（款） …… 308
香雪莊主 …… 231
香翰屏印（款） …… 158
神韵（款） …… 306
神鬼無功 …… 319
神覺硯齋 …… 248
研雲山房主 …… 230
柳川（款） …… 215
柳陰軒 …… 251
柳德園印 …… 163
胡鋭 …… 98
胡佩衡 …… 99
胡佩衡印 …… 99
胡士開印 …… 99
胡漢民印 …… 99
胡若愚印（2方） …… 100
胡駿聲印 …… 100
胡振名印 …… 100
胡庭芳印 …… 100
昭化賈氏 …… 168
侯官黄濬 …… 142
修竹吾廬（款） …… 316
恬澹自適（款） …… 290
美意延年 …… 292
屋小如月（款） …… 293
勁節冰霜（款） …… 316
軍餘書畫 …… 262
查忠輔印 …… 162
南陽布衣 …… 240
南圃之印 …… 205
南海譚氏 …… 85
南面王不易 …… 330
草間偷活 …… 39
草木未必無情 …… 53
恨翁 …… 3
恨不十年讀書 …… 31
耐歲寒（款） …… 279
耐公五十後作 …… 257
思煒 …… 190
思安（款） …… 190
思蔄樓 …… 253

思茴樓主人 …… 230
思安卜鬼神 …… 62
思持年少漁竿 …… 44
是以謂之文也 （款） …… 330
要知天道酬勤 …… 51
哀窈窕思賢才 …… 296
風眠 （2方） …… 136
風花雪月 （款） …… 285
風吟月和 （款） …… 290
風前月下清吟 …… 51
鬼神使之非人工 （款） …… 33
津田秀榮 （款） …… 213
津沽王氏啟貴之章 …… 116
客蓀 …… 181
客途所得 （款） …… 323
客久思鄉 …… 34
客久子孫疏 …… 34
客中月光亦照家山 …… 37
春塘 …… 186
春意闌珊 （款） …… 283
春光全在杏花紅 …… 331
故鄉無此好天恩 …… 33
故里山花此時開也 …… 48
星塘白屋不出公卿 …… 46
前有古人 （款） …… 286
前世打鐘僧 …… 38
荆華私印 …… 167
荆門張漢 …… 105
茶陵譚澤闓印 （款） …… 86
茶陵譚澤闓欣賞記 …… 267
咸陽客 （款） …… 238
相見有緣 （款） …… 322
相看兩不厭 （款） …… 323

十畫

晉齋 …… 247
虔忱 …… 199
桑洲 …… 302
倉海 …… 302
倉元 …… 180
栖鳳 …… 218
冥祥 …… 196
庭五 …… 174
華堂 …… 202
朗夫 …… 192
浣華 …… 134
浩逸 …… 184
凌百之印 …… 171
凌雲 …… 197
浭陽 …… 300
荷麻 …… 197
射山 …… 178
躬石 （款） …… 237
翁子 （2方） （款） …… 75
涑雲樓 …… 253
造化師 （款） …… 314
留華洞 （2方） …… 252
倚石者 （款） …… 239
原八郎 …… 210
悔烏堂 （3方） …… 26
桂子 （款） …… 70
桂父 …… 184
桂湖長 …… 227
桂樹叢生 （款） …… 316
致坡 （2方） …… 130
孫東明 …… 143
孫其銘印 …… 143

郭荃 …… 91
郭芝 …… 91
郭楞仙 …… 91
郭秀儀 …… 91
郭氏藏書 …… 275
郭向陽印 …… 91
郭有守印 …… 91
郭延之印 …… 92
郭希度印 …… 92
郭宗熙印 …… 92
唐獻之印 …… 163
浙東邵氏 …… 97
通庵金石 …… 271
笑我石緣 （款） …… 323
俱在山樓 （款） …… 318
涇川吴氏 …… 139
桐城何氏 …… 158
桃蔭手拓 …… 271
桃蔭居主 …… 232
袁家普印 …… 147
净樂無恙 （款） …… 31
夏静淵 …… 87
夏首勳印 …… 87
夏培德印 …… 87
夏時鼎印 …… 87
夏壽田印 （7方） （4款） …… 87·88·89
夏壽田作誦 （款） …… 258
柴山兼四郎 （2方） （款） …… 214·216
真人 …… 304
真趣 …… 304
真妙 （款） …… 305
高 …… 144
高幹 …… 144
高汝明 …… 145
高壓天魔萬三千 …… 331
徐圖 …… 137
徐悲鴻 …… 137
徐堪之印 （款） …… 138
徐再思印 …… 137
徐保慶印 …… 137
徐祖正印 …… 137
徐翿一字而坩 …… 138
借山翁 （3方） …… 12
借山館 …… 24
借山館記 （款） …… 24
借山門客 …… 77
借山老子 …… 12
借山老人 （2方） …… 5
借山門人 （款） …… 77
借山吟館主者 …… 26
連山好竹人家 …… 328
瓶士學篆 …… 257
瓶齋書課 …… 257
瓶齋經眼 …… 264
瓶齋三十以後文字記 …… 258
剛健篤實輝光 （款） …… 328
畢盦羅館主人 …… 236
流涕哭樊嘉 …… 37
流俗之所輕也 （2方） （款） …… 32
流得清香滿乾坤 （款） …… 332
浮名過實 …… 43
浮世除詩盡强名 …… 326
豈辜負西山杜宇 （款） …… 59
倦也欲眠君且去 （款） …… 60
家在沅水之上 …… 320
家在圭峰故里 …… 327

家在石湖人不到 ………………………… 326
家在龍山貢水間 ………………………… 326
家在清風雅雨間 ………………………… 327
家在揚州梨花深處 ……………………… 327
家貧無故業不敢取微官 ………………… 297
馬學著 ………………………………… 157
馬福祥印 ……………………………… 157
馬上斜陽城下花 ……………………… 41
浴蘭湯兮沐芳華 （款） ………………… 221
海陵 …………………………………… 197
海燕樓 ………………………………… 254
海西居士 ……………………………… 232
海上石癖長安人·咸陽客 （款） （雙面印） ……
…………………………………………… 239
師竹 （3方） （2款） ………………… 309·310
師愚 …………………………………… 173
師愚室印 ……………………………… 245
師曾小詩 （款） ……………………… 102
師淵明之雅放 （款） ………………… 335
師淵明之雅放吾不逮學襄陽之敬石我過之·百家石印吾有八九八賢手筆僅居拾一 （款） （雙面印） …
…………………………………………… 337
容顏減盡但餘愁 ……………………… 44

十一畫

曼雲 …………………………………… 198
訪樵 …………………………………… 306
移生 …………………………………… 75
惕生 （2方） ………………………… 110
笠樵 …………………………………… 194
彪岑 …………………………………… 194
偶吟 …………………………………… 305
偶和 （款） …………………………… 305
奢石 （款） …………………………… 308
商石 …………………………………… 183
梓嘉 （2方） ………………………… 191
梓園 …………………………………… 237
執誠 …………………………………… 195
雪庵 …………………………………… 227
雪頭陀 ………………………………… 227
淺歡齋 ………………………………… 246
習苦齋 ………………………………… 247
張 （2方） …………………………… 104·105
張群 …………………………………… 105
張謣 （款） …………………………… 105
張半陶 ………………………………… 106
張愷驥 ………………………………… 105
張佩紳 ………………………………… 106
張庭鈞 ………………………………… 106
張道藩 ………………………………… 106
張默君 ………………………………… 106
張伯駒印 ……………………………… 107
張伯烈印 ……………………………… 107
張佐民印 ……………………………… 107
張仁蠡印 （款） ……………………… 107
張子祥印 ……………………………… 108
張其煦印 （款） ……………………… 108
張傅烜印 ……………………………… 108
張明哲印 ……………………………… 109
張學良印 ……………………………… 109
張樹勛印 ……………………………… 109
張客公印 ……………………………… 107
張一俊印 （款） ……………………… 108
許坡翰墨 ……………………………… 259
許壽康印 ……………………………… 153
許鍾潞印 ……………………………… 153

陳源 …… 100
陳怡 …… 101
陳死 (款) …… 101
陳果夫 …… 102
陳裕新 …… 102
陳允文 …… 102
陳泡翁 …… 102
陳之初印 …… 103
陳氏女子 …… 103
陳惟庚印 …… 103
陳訪先印 …… 103
陳衡寧印 (款) …… 101
陳際昌印 …… 104
陳希曾印 …… 101
陳樹森印 …… 104
陳家鼒印 …… 104
陳微之印 …… 101
陳耀倫印 …… 103
陳師曾所藏金石拓本 (款) …… 267
陸鉅恩印 …… 164
菊庭書院 (款) …… 218
梅欄 …… 303
梅馨 …… 303
梅郎 …… 134
梅開日利 (款) …… 325
梅花草堂 (5方) (5款) …… 244·245
患難見交情 …… 53
黄澍 …… 142
黄濟國 …… 143
黄天章印 …… 143
黄曾樾印 …… 143
黄龍硯齋 …… 248
黄岡羅虔 …… 129
黄金虛牝 (款) …… 29
黄泥漁人 …… 235
清風明月 (款) …… 287
淑度 (款) …… 96
淑賢工細 …… 205
曹雲祥 …… 127
曹琨之印 …… 128
曹錕之印 (2方) …… 128
得霖之印 …… 171
德居士寫經 …… 258
郫縣余氏 …… 148
常宗文印 …… 160
常焜彝印 …… 161
符定一印 …… 164
崛彊風霜 (款) …… 287
斜陽無限 (款) …… 286
惜如抱枕 (款) …… 288
寂寞之道 (2方) …… 284
啞公題跋 …… 259
視道如花 (款) …… 282
雀廬主人 …… 234
梁啟超印 …… 164
婁氏 (款) …… 82
婁江朱氏 (款) …… 123
寄思 (款) …… 279
寄苹堂 …… 26
寄萍堂 (2方) …… 26·27
寄苹吟屋 …… 27
崔震華 …… 153
崔伯鴻印 …… 152
崔叔青印 …… 153
野口勇印 …… 213
婉雲山人 …… 235

寅齊藏三伐器 ………………………………… 276
接木移花手段 ………………………………… 57
梨花小院 ……………………………………… 56
梨花小院思君 ………………………………… 56
虛室生白 ……………………………………… 314
掃門者四時風 ………………………………… 53
偷活沈吟 ……………………………………… 283
偷得浮生半日閑 ……………………………… 52
問道于石 ……………………………………… 293
問君能有幾多愁 （款） ……………………… 296
望白雲家山難捨 ……………………………… 57
萍翁 （款） ………………………………… 13
萍鄉文氏寅齊寶藏漢熹平周易石經殘碑之印 ……
……………………………………………… 277

十二畫

喜 ……………………………………………… 80
絲 ……………………………………………… 81
富 ……………………………………………… 79
朝文 …………………………………………… 181
朝倉 …………………………………………… 182
渾一 …………………………………………… 179
琴孫 …………………………………………… 179
逵雲 …………………………………………… 203
惠庵 …………………………………………… 226
紫虹 …………………………………………… 175
傲寒 （款） ………………………………… 279
象賢 …………………………………………… 178
斌甫 （2方） （款） ……………………… 177
貴嚴 …………………………………………… 193
弼丞 …………………………………………… 183
項城 …………………………………………… 127
葉錕 （款） ………………………………… 129
嵐雨 …………………………………………… 194
飯老 …………………………………………… 202
壺公 …………………………………………… 184
壺中庵 ………………………………………… 251
開生面 （款） ……………………………… 313
閔羅張 ………………………………………… 172
敬禹 …………………………………………… 177
敬之鑒藏 ……………………………………… 272
植東 …………………………………………… 152
植松泪仙 ……………………………………… 211
景春 …………………………………………… 161
景紀英印 ……………………………………… 161
煮石 …………………………………………… 42
煮畫庖 ………………………………………… 25
煮畫山庖 ……………………………………… 25
硯翁 （款） ………………………………… 237
硯田農 ………………………………………… 238
硯海居士 （款） …………………………… 238
尊·受 （款） （雙面印） ………………… 307
尊石長壽 （款） …………………………… 206
葛覃 （款） ………………………………… 158
葛熙之印 ……………………………………… 158
萬里 …………………………………………… 167
萬氏玉田 ……………………………………… 138
萬花如海 ……………………………………… 293
萬國鈞印 （款） …………………………… 138
萬物滄江 （款） …………………………… 321
萬庵梅花 ……………………………………… 318
賀福泉章 ……………………………………… 164
博雅廬 ………………………………………… 250
博施濟衆 ……………………………………… 294
彭架之印 （款） …………………………… 154
彭架所藏 （款） …………………………… 268

彭壽莘印 …………………………………… 154
彭祖卺印 …………………………………… 154
董揆畫記 …………………………………… 263
善化盛七 …………………………………… 168
善者苦也 （款） ………………………… 295
遇圓因方 …………………………………… 292
湘上老農 ……………………………………… 28
湘潭人也 ……………………………………… 29
湘潭郭人漳世藏書籍金石字畫之印 （款） ………
……………………………………………… 266
陽光 …………………………………………… 179
陽春白雪 …………………………………… 293
陽溪陳人 …………………………………… 103
陽嘉硯齋 …………………………………… 248
黑白分明 …………………………………… 294
筆墨消閑 （款） ………………………… 281
智輔 …………………………………………… 178
智謙所藏 …………………………………… 271
跛翁虎尾 …………………………………… 315
遂安王邕 （2方） ……………………… 113
鈔相牛經 ……………………………………… 38
詞家清賞 （款） ………………………… 286
喪志亭玩 …………………………………… 271
結習未除 …………………………………… 291
堯仁之章 …………………………………… 170
湯澤 …………………………………………… 161
湯爾和印 …………………………………… 161
喬映璜印 …………………………………… 165
畫師白石 ……………………………………… 12
閑止 （2方） ……………………… 221·222
閑止翁 （2方） ………………………… 222
閑雲野鶴 （2方） ……………… 290·291
閑散誤生平 （款） ………………………… 61
道情神理 （款） ………………………… 318
道昭印記 …………………………………… 174
道昭之印 …………………………………… 228
無畏 …………………………………………… 86
無愁 …………………………………………… 299
無鹽 …………………………………………… 300
無使名過實 …………………………………… 43
無聲詩室 …………………………………… 245
無懷軒印 …………………………………… 251
無道人之短 …………………………………… 61
無君子不養小人 ……………………………… 62
無力正乾坤 ………………………………… 329
疏散是本性 （款） ……………………… 320
散髮乘春風 …………………………………… 55
蛩鳴無不平 …………………………………… 56
貫遲作會愛書來 ………………………… 327
湖海讀書樓 ………………………………… 255
落紅 …………………………………………… 305
落花 （款） ……………………………… 305
落拓不羈 …………………………………… 287
落花本是無情 （款） …………………… 335
最工者愁 ……………………………………… 39
最憐君想入非非 ………………………… 327
為人民 （2方） （款） ……………… 311·312
為疾用舒 …………………………………… 314
為山小隱 …………………………………… 315
為客負梨花 …………………………………… 44
雲仙 …………………………………………… 201
雲皋 …………………………………………… 201
雲亭 …………………………………………… 200
雲叟 …………………………………………… 200
寒雨 …………………………………………… 301
寒林 …………………………………………… 302

寒枝 （款） …… 302
寒山書室印記 …… 274
强項令 …… 297
强作風雅客 …… 46
游戲 …… 309
游于藝 （款） …… 312
游戲人間四十年 …… 330
曾擴情印 （2方） …… 90
曾總均印 （款） …… 89
曾藏瘦庵 （款） …… 268
曾在虎生處 …… 264
曾經灞橋風雪 …… 59
曾登李白讀書樓 …… 46
曾藏茶陵譚氏天隨閣中 （款） …… 266
曾歸于己怡然自樂 （款） …… 334
買系原綉綉系人 …… 59
牽牛不飲洗耳水 （款） …… 48
過目自適·舊迹難捨 （款）（雙面印） …… 333
尋常百姓人家 …… 45
尋思百計不如閑 …… 45
尋常筆意偶見山人之法 （款） …… 264
飲于黄河食于嵩山三送春秋 …… 332

十三畫

圓净 （2方） …… 192·193
圓覺 …… 192
哲子 …… 93
廉仿 …… 196
韵眉 …… 194
甄甫 （款） …… 138
頓叟 …… 223
筱忱 …… 199
經輿 …… 119
經宇 …… 120
畹華 …… 134
蒼風 …… 201
誠之 （款） …… 180
温夢齋 …… 246
滄海樓 …… 253
羨鍾州 …… 172
楚天一 …… 172
雅 （2方）（2款） …… 82
雅子藏印 …… 276
雅翁詞賦 …… 259
瑞光之記 …… 170
農畝 …… 186
農家風味 …… 321
業成 …… 185
業荒于戲 …… 287
賈鑄 …… 168
鈴山 …… 192
福岡 …… 208
福航 …… 177
福壽延年 （款） …… 288
雷恩廷印 …… 165
傳霖之印 …… 171
意與古會 （款） …… 291
聖有愚色 …… 295
靖威將軍 …… 127
慈衛室印 …… 244
慈園居士 …… 232
飽看西山 …… 48
載洵白箋 …… 174
蒙軒 …… 236
蒙客 （款） …… 184
叠山後人 …… 223

微山行人 …… 235
微風閑坐古松 …… 298
溯流風天獨寫 …… 298
蓮生 …… 189
蓮花山下是吾家 …… 45
滌研不嫌池水冷 …… 32
詩字畫刻四無成 …… 54
隔花人遠天涯近 …… 40
勤于斯斯無分心處 （款） …… 333
新井 …… 209
新荷葉 （款） …… 313
新化歐陽銘字慧虚印 （款） …… 149
夢琴 …… 195
夢詩廬 …… 246
夢想芙蓉路八千 …… 34
楊 （款） …… 93
楊莊 …… 94
楊度 …… 93
楊晳子 …… 93
楊仲子 …… 94
楊伯廬 …… 94
楊劍秋 …… 94
楊叔子 （款） …… 95
楊昭雋印 （2方） （2款） …… 95
楊鈞小印 …… 96
楊芰青父 …… 96
楊通收藏金石書畫印 （款） …… 264
楊柳春風綠岸桃花落日紅酣·三十六陂秋水白頭重到江南 （款） （雙面印） …… 337
痴腸俠骨 …… 295
痴思長繩繫日 …… 51
與辛 …… 150
稚予 …… 191

十四畫

綱 （款） …… 79
漢印 …… 304
瘦石 …… 182
養原 …… 209
養素齋 …… 247
慕尹 …… 204
慕陶 …… 204
榜眼 （2方） （2款） …… 229
疑古 …… 296
豪翁 …… 197
緒詮 …… 201
榮唐 …… 203
銘 （2方） （2款） …… 151
銘印 （2方） （2款） …… 151
銘勳 …… 198
銘德堂 （款） …… 243
廖衡 …… 167
嘉明 …… 203
嘉蔭軒 …… 251
熊克武印 …… 159
熊佛西印 …… 166
適 （2方） （2款） …… 81
適我意耳 （款） …… 317
蔡彬 …… 160
蔡禮之印 …… 160
爾績家藏 …… 270
漁翁 …… 304
漁村漁家 …… 314
興到壺歇 …… 325
興義王氏珍藏 …… 273
翠雲 （2方） …… 214·215
翠明莊主 …… 230

滿江紅　（款）　…………………………………　280
廣瀨直幹　…………………………………　212
趙亮直印　…………………………………　147
趙啟騄印　…………………………………　147
趙鍾玉印　（2方）　…………………………　147
僧紹禎印　…………………………………　165
蔣中正印　…………………………………　130
蔣作賓印　…………………………………　131
歌事遂情　（款）　…………………………　313
輔世長民　…………………………………　318
熙鈺私印　…………………………………　206
奪得天工　…………………………………　62
稱心而言　…………………………………　281
蔚山考藏　…………………………………　271
語　…………………………………………　79
語舲長壽　…………………………………　207
鳳亭　………………………………………　202
鳳亭珍藏書畫之章　………………………　268
貌為奇古　…………………………………　291
寧肯人負我　（款）　………………………　54
寡交因是非　（款）　………………………　47
慚愧世人知　（2方）　……………………　58
壽璽　（2方）　……………………………　200
壽田六十以後作　（款）　…………………　258
盡携書畫到天涯　…………………………　46
騁望黄金吉室　……………………………　329
嘆浮名堪一笑　……………………………　57
嘆清平在中年過了　（款）　………………　59
誦清閣所藏金石文字　（款）　……………　267
聚石樓　（2方）　（2款）　………………　254
聚石樓金石文字所拓家傳孤本　（款）　……　277
齊人　………………………………………　4
齊大　（2方）　（2款）　…………………　9·4
齊三　………………………………………　72
齊四　（款）　………………………………　74
齊伯子　……………………………………　3
齊寶珠　……………………………………　69
齊菊如　……………………………………　70
齊房　（2方）　……………………………　8
齊房之印　…………………………………　8
齊良止印　（2方）　………………………　74
齊良歡　（款）　……………………………　74
齊良遲　（款）　……………………………　72
齊良遲印　（款）　…………………………　72
齊良憐　……………………………………　73
齊良琨　……………………………………　71
齊良琨印　（2方）　………………………　71
齊燮元印　（款）　…………………………　92
齊國璜印　…………………………………　92
齊胡桂子　（款）　…………………………　70
齊氏家傳　…………………………………　23
齊氏白常手輯　……………………………　265
齊秉率　……………………………………　76
齊頻生　……………………………………　3
齊頻生曾藏三十五年　……………………　23
齊白石　（7方）　（2款）　………………　2
齊白石婦　（款）　…………………………　69
齊白石藏　（款）　…………………………　23
齊白石觀　…………………………………　18
齊白石管領金石紙本　……………………　22
齊璜　（款）　………………………………　10
齊璜之印　（款）　…………………………　10
齊璜老手　…………………………………　22
齊璜觀·白石曾觀　（雙面印）　……………　5
齊白石·借山主人　（雙面印）　……………　5
齊璜·瀕生·相思·頻生齊氏·一别故人生百憂　（多面

印）……………………………………………… 6
齊璜印·齊房之印·老蘋辛苦·阿芝·齊人（多面印）
……………………………………………… 7
齊璜暮年又見·白石言事·平翁又白·齊木人·安得平安（多面印）……………………………… 7
齊璜敬寫·五世同堂·容顔減盡但餘愁·恐青山笑我今非昨（多面印）…………………………… 6

十五畫

緘 ………………………………………………… 80
輝域 ………………………………………… 182
潛庵（款）…………………………………… 225
醉白（款）…………………………………… 192
撫萬（款）…………………………………… 189
鄭瑛 ………………………………………… 167
餓叟 ………………………………………… 28
黎 …………………………………………… 90
黎子鶴 ……………………………………… 90
樂石室（2方）（2款）……………… 24·219
樂此不疲（款）……………………………… 291
鄧雲 ………………………………………… 156
鄧燕林（款）………………………………… 157
鄧達道 ……………………………………… 156
鄧丙元 ……………………………………… 157
頡荀父 ……………………………………… 172
頡頏樓 ……………………………………… 252
褦襶痴 ……………………………………… 35
墨三 ………………………………………… 179
墨守 ………………………………………… 179
墨戲（款）…………………………………… 260
墨緣 ………………………………………… 207
墨緣長壽 …………………………………… 207
墨池清興 …………………………………… 292
實坪 ………………………………………… 201
實篤 ………………………………………… 199
實事求是 …………………………………… 281
澄淵 ………………………………………… 203
澄波長壽 …………………………………… 206
慧虚（款）…………………………………… 152
慧虚鑒賞（款）……………………………… 270
慧虚鑒藏（款）……………………………… 270
毅庵主人 …………………………………… 231
增鈞（款）…………………………………… 124
增祥 ………………………………………… 200
潘氏 ………………………………………… 162
潘承禄印 …………………………………… 162
潘恩元印 …………………………………… 162
潘陽小民 …………………………………… 319
寫劇樓 ……………………………………… 253
寫竹醫俗 …………………………………… 292
鋤經堂 ……………………………………… 241
窮不死 ……………………………………… 310
窮後工詩 …………………………………… 40
窮後能詩 …………………………………… 39
魯班門下（2方）（款）…………………… 35
魯蕩平印（2方）…………………………… 139
樊山後人 …………………………………… 236
閻麗天印 …………………………………… 165
樟林教頭 …………………………………… 234
潭州漁隱 …………………………………… 234
鋭挫 塵同 …………………………………… 319
暫止便去 …………………………………… 317
熱愛祖國 …………………………………… 320
餘珊 ………………………………………… 178
餘笑流俗（款）……………………………… 324
餘俗洗盡（款）……………………………… 324

餘年離亂 …… 62
餘生老人 …… 235
劉宏 （款） …… 140
劉復 …… 140
劉千里 …… 140
劉志平 …… 141
劉文輝印 …… 141
劉伯英印 …… 141
劉純中印 …… 141
劉直清印 …… 141
劉彥之印 …… 141
劉果眼福 …… 269
劉白私印 …… 142
劉韶仿藏書印 …… 275
德居士 （2 方） （款） …… 228·229
德居士藏 …… 268
隨時快樂翁 …… 236
誰念為儒處世難 …… 298
劍鳴 …… 196
劍門過客 （款） …… 239
劍鳴書畫 …… 263
劍鳴珍藏書畫 （2 方） …… 274
質雅鑒賞 （款） …… 276

十六畫

禪 （2 方） （2 款） …… 81
默君 …… 106
緝熙 …… 173
輯五 …… 174
甌屋 （2 方） （款） …… 25
盧 （2 方） …… 169
盧光照 …… 169
澹靜齋 …… 246
默庵 …… 226
駢足堂 …… 243
學工農 …… 312
翰屏 …… 158
翰墨神仙 （款） …… 262
靜川 …… 209
靜壽山莊 …… 254
澤寬之璽 …… 206
樵山漁水 …… 321
龍飛 …… 306
龍梅原 …… 210
龍文治印 …… 165
龍山社長 …… 23
龍興鸞集 （款） …… 282
蕭淑芳 …… 155
蕭氏淑芳 …… 155
蕭同茲印 …… 155
蕭耀南印 …… 156
鮑伯香印 …… 163
篪野堅印 …… 214
錢玄同 …… 156
錢大鈞印 …… 156
錢春祺印 …… 156
歐 （款） …… 79
歐陽銘印 （2 方） （2 款） …… 150
歐陽漸印 …… 151
歐陽慧虛 （款） …… 152
歐陽植東 …… 152
豫章五子 …… 228
築己樓 …… 253
筑陽劉果 …… 142
頻生 （2 方） …… 3
頻生眼福 …… 23

澹泊寧静 …… 283
樹常審定 …… 270
嶦農書畫 …… 263
錦颿長壽 …… 207
錦波過目 （款） …… 265
獨耻事干謁 …… 38
憶君腸欲斷 （款） …… 37
興公 （2 方） …… 149
興不淺也 （款） …… 319
興周之章 …… 149
興之所至 （2 方） （2 款） …… 289
興化余氏 （款） …… 148
賢者而後樂此 …… 329
雕蟲小技家聲 …… 50
錯公四十後書 （款） …… 262
衡山 （2 方） …… 228
衡山人 （2 方） …… 228
畿南文獻之家 …… 329
還家休聽鷓鴣啼 …… 59
黔陽謝淵審藏書畫真迹印記 …… 266
黔陽謝淵收藏秦漢以下金石文字之印 …… 266

十七畫

謙 （款） …… 80
謙中 …… 200
翼如 …… 98
簡盧 …… 236
懋辛 …… 161
鮮于英 …… 169
韓則信 …… 170
薩麗荻 …… 170
隱青 …… 204
隱峰居士 …… 232
鍾山 …… 154
鍾幹 …… 154
鍾子梅印 （款） …… 155
魏 …… 145
魏氏 …… 145
魏五陰 （2 方） …… 145
魏軍藩印 …… 145
藍璧光 …… 157
藍堯衢印 …… 157
霞中庵 …… 256
霞中山房 …… 256
鴻雋 …… 182
鴻城印 …… 205
鴻爪留痕 …… 290
濟衆長壽 …… 206
舊家烏衣 …… 223
謝大 （2 方） …… 83
謝道弘印 …… 85
謝承炳印 …… 85
謝淵拜觀 …… 265
謝淵印記 …… 84
謝淵印信 …… 84
謝大近况 …… 84
謝氏吉金樂石 …… 265
繁子 …… 175
繁·子 （雙面印） …… 175
豳齊長壽 …… 207

十八畫

藝盧 …… 236
瞻蓀 …… 198
豐山 …… 204
顏山 …… 201

躔依 …… 190
藤原正文 …… 211
藤氏疇坪 …… 212
瀏陽鄒氏 …… 82
歸田翁 （款） …… 238
歸適齋 …… 247
歸計何遲 …… 45
歸夢看池魚 …… 45
雙橋 …… 302
雙佳樓珍藏印 …… 273
鎮中 …… 177
鎮海賀氏 …… 164
繞屋衡峰七十二 …… 48
藕花多處別開門 …… 43
獵以我道皆成禽 （款） …… 331

十九畫

贈 （款） …… 80
蘇峰 …… 166
藹士 …… 185
識真 （款） …… 308
廬隱 …… 226
鬪浙生 （款） …… 169
羅玉庭 …… 131
羅家倫 …… 132
羅祥止 …… 132
羅虔之印 （款） …… 130
羅雯之印 …… 130
羅葆琛印 …… 132
羅丙山印 （款） …… 132
譚濟夫 （款） …… 85
譚延闓印 （款） …… 85
譚澤闓印 （2 方） （款） …… 86
隴右女史 …… 233
簸弄烟雲 （款） …… 282
麓雲樵子 （款） …… 241
寶 …… 69
寶君 …… 69
寶成之印 …… 205
韞山長壽 …… 208
難如人意一生慚 …… 49

二十畫

覺生 …… 188
麗軒 …… 250
獻之 …… 198
繼郎 …… 198
龐梓 …… 166
蘭州 …… 303
蘭風 （款） …… 218
蘭亭 …… 14
蘭雲齋 …… 246
釋虎 …… 93
釋冰冰釋 （款） …… 296
饒應銘印 …… 163
贏得鬢鬚殘雪 …… 49

二十一畫

顧詒燕印 …… 163
鐵生 …… 174
鐵僧 …… 189
鐵馬道人 …… 233
鐵夫珍藏 …… 273
鶴鳴山樵 …… 233
鶴屋野人 …… 232

二十二畫

鑒（款）……………………………………… 276
籟園 ……………………………………………… 208
鷓鴣啼處百花飛 ……………………………… 49

二十三畫

變陽 ……………………………………………… 300

二十四畫

鑿冰堂（2方）……………………………… 242
觀瓶之居（款）……………………………… 257
觀瓶居讀書記（款）………………………… 258

本卷承蒙下列單位的熱情支持與大力協助。特此致謝!

北京圖書館
書目文獻出版社
天津楊柳青書畫社
香港翰墨軒出版有限公司
日本二玄社
湖南省博物館
人民美術出版社
北京榮寶齋
中國畫研究院資料室

總 策 劃：郭天民　蕭沛蒼
總 編 輯：郭天民
總 監 製：蕭沛蒼

齊白石全集編輯委員會
主　　編：郎紹君　郭天民
編　　委：李松濤　王振德　羅隨祖　舒俊傑
　　　　　郎紹君　郭天民　蕭沛蒼　李小山
　　　　　徐　改　敖普安

本卷主編：羅隨祖
責任編輯：章小林
英文翻譯：張少雄
責任校對：李奇志
總體設計：戈　巴

齊白石全集　第八卷

出版發行：湖南美術出版社
(長沙市人民中路103號)
經　　銷：全國各地新華書店
印　　製：深圳華新彩印製版有限公司
一九九六年十月第一版　第一次印刷

ISBN7—5356—0894—9/J·819